Classici dell'Arte

75.

L'opera completa di
Pietro Longhi

Classici dell'Arte

Biblioteca Universale delle Arti Figurative
diretta da
ETTORE CAMESASCA

Consulente critico centrale
GIAN ALBERTO DELL'ACQUA

Comitato di consulenza critica
BRUNO MOLAJOLI
CARLO L. RAGGHIANTI
ANDRÉ CHASTEL
JACQUES THUILLIER
DOUGLAS COOPER
DAVID TALBOT RICE
LORENZ EITNER
RUDOLF WITTKOWER
XAVIER DE SALAS
ENRIQUE LAFUENTE FERRARI

Redazione e Grafica
TIZIANA FRATI
SUSI BARBAGLIA
DARIO MORETTI
EDI BACCHESCHI
SERGIO CORADESCHI
FIORELLA MINERVINO
SALVATORE SALMI
SERGIO TRAGNI
GIANFRANCO CHIMINELLO

Segreteria
MARISA CINGOLANI
VERA SALVAGO

Ricerche iconografiche
CARLA VIAZZOLI

Consulenza grafica e tecnica
PIERO RAGGI

Stampa e rilegatura a cura di
ALEX CAMBISSA
CARLO PRADA
LUCIO FOSSATI

Colori a cura di
FIORENZO BERNAZZANI
FELICE PANZA

Coedizioni estere
FRANCESCO TATÒ
FRANCA SIRONI

Comitato editoriale
ANDREA RIZZOLI
MARIO SPAGNOL
HENRI FLAMMARION
FRANCIS BOUVET
HARRY N. ABRAMS
MILTON S. FOX
J. Y. A. NOGUER
JOSÉ PARDO
GEORGE WEIDENFELD

L'opera completa di

Pietro Longhi

Introdotta e coordinata da
TERISIO PIGNATTI

Rizzoli Editore • Milano

Prima edizione: giugno 1974

Scritti di Pietro Longhi
e di suoi contemporanei

Sfortunatamente per noi, Pietro Longhi fu poco letterato: i suoi scritti risultano strettamente connessi al suo processo di lavoro, e sembrano rivolti piuttosto a problemi materiali che a sentimenti portati verso l'ideale. Conserviamo infatti di lui soltanto otto lettere, tutte indirizzate allo stampatore bassanese Giambattista Remondini fra il novembre del 1748 e il gennaio del 1753.

Apparentemente il primo pensiero del Longhi sembra rivolto ai compensi che egli traeva dalla sua opera incisa presso l'officina bassanese: "prezioso vitello", "vino di casata", inviti a soggiornare in campagna. Ma in verità, dalle sue parole traspare soprattutto la preoccupazione che il lavoro di trascrizione incisoria delle sue pitture venga eseguito nel modo migliore. Infiniti sono i suggerimenti, le correzioni, i consigli a questo proposito. Si veda la prima lettera, in cui evidentemente il Longhi accenna alle correzioni apportate a un foglio di prova dell'incisore Faldoni. Più avanti, nella lettera del 7 dicembre 1748, si fa cenno ad una prima serie di incisioni stampata dal Wagner, il famoso incisore tedesco da poco stabilitosi a Venezia, e ci si augura che anche il Faldoni sappia raggiungerne la bravura. La stampa menzionata, col "Caffè alla Mira", esiste effettivamente, firmata dal Faldoni.

Nella lettera del 23 aprile 1751 il Longhi raccomanda un suo allievo, Marcello Rovazza, per fare il disegno dal dipinto, e mandarlo poi a Bassano per la incisione. Certo, preferirebbe "quel Fiorentino del Vagner", che quasi certamente è il Berardi, abilissimo incisore specie di stampe da disegni del Canaletto. Ma il "Fiorentino" ha troppi impegni, e converrà contentarsi del Faldoni.

Più vivaci sono forse, relativamente all'ambiente del Longhi, gli scritti dei suoi contemporanei, che riproduciamo qui accanto: il famoso sonetto del Goldoni, ad esempio, non solo documenta una singolare amicizia col famoso commediografo, ma offre tocchi interessantissimi sul valore dell'opera del Longhi e

del suo "pennel che cerca il vero". Sull'argomento del realismo longhiano ritorna poi il Goldoni anche nella introduzione del 1775 al volume decimo delle commedie: capace di "esprimere [...] i caratteri e le passioni degli uomini". Certo, il Longhi, appare un apprezzato ritrattista dalle parole dei suoi contemporanei: e su questa fama egli fondò il proprio successo nella "veneta nobiltà".

Lettere di Pietro Longhi
a Giambattista Remondini

Venezia li 23 Nov.re 1748

Ill.mo Sig.r e Paron Col.mo

Mi vedo favorito da V.S.Ill.ma e regallato di precioso vitello senza alcun merito e da tratto sì gentile mi confesso obbligato, ho veduto ancor le carte che mi piace assai, ma prendendo l'impegno di servirla come merita La sua degna persona, hò acenato sopra le medesime col lapis nero tute quelle cose che dovrebbe esser più basse di tinta, e tuto quello che dovrebbe esser alumato lo acenatto col lapis bianco, come nelle medesime l'intagliatore vedrà, mi sono permeso tal libertà aciò l'opera riessi con maggior applauso è buona fortuna all'interesse di V.S.Ill.ma. Con maggior poi sicurezza le pronostico assai bene la pensata di far li disegni frà tanto ò già impiegato un scolaro aciò dia principio al primo asicurandola che avrò tuta l'atenzione di vederla servita è vedrò dal primo come il giovane si porta riservandomi con altra mia a dargline aviso; mi ralegro sentindo, che al Suo serviggio è il Sig. Faldoni intagliatore d'esperienza e valentuomo, è son sicuro che meterà in sogizione i professori. Consegnerò al Sig. Albrizzi le carte aciò le rimandi a l'intagliatore veda questa regola, pregandolo di compatirmi se troppo mi sono allungato. Devo poi ringraziarla de l'invito in buona staggione, non so che dirli solo che mi resta il desiderio di riverire è conoscere la Sua degna

Persona quando poi sucederà l'incontro di conoscermi. La sua Stimatis.ma grazia è a suoi prezziosis.mi comandi mi soscrivo per sempre

Di S.V. Ill.ma Dev.mo et Obbl.mo Ser.re
Pietro Longhi

(Rovigo, Biblioteca Concordiana)

Venezia 7 Dicembre 1748

Ill.mo S.r e Paron Col.mo

Mi vedo favorito da una sua stimatissima lettera e apunto ho motivo d'avisarla che il primo disegno è finito, e hò procurato che il giovane sij scordi l'interesse e brami sol di studiare e sj contenti di un sol cecchino che gli fu datto dal Sig. Abrizzi. Ancor io non ho mancatto quasi ogni mattina di uscir di casa per dare sogizione al giovane e dirli il mio parere e avrei voluto con tuto il core imprimere il quadro nel disegno per la volontà che ò che riesca bene. La diligenza vi sono ma non vi sono il grandioso masime nelle arie delle teste come sono nel quadro che qui il sig. Faldoni come intagliatore valente potrà aggiustare e conservar belle arie nelle teste e sempre un gran lume nella figura di meso. Questo primo asunto non è di gran caso riservandomi al secondo che sarà gustoso e darà piacere, resta che questi cavalieri secondi la nostra intenzione con lasciar disegnare al Puto li quadri essendo per il più poseduti da queste case Patricie. La consiglio ancor di far spiegare l'asunto con brio e spirito co lo stesso ordine delle carte del Vagner; io in tanto rosamente le dico qual sia stata la mia intenzione nel quadro : due dame alla Botega del Cafè alla Mira corteggiate da due Peregrini, uno in Parucca e l'altro Pantalon in capel de paglia e vesta da camera. Tocca poi al Poeta. Il Vagner è stato arichito per li versi del Dottor Pinalli Padovano. Sento poi la ricerca che V.S. Ill.ma mi fa se sia vero o nò che il Vagner presentemente proseguisca. Le dirò la verità, veramente il suo interesse avrebbe voluto e loro bramava di proseguire stante il grand'esito che ano avuto le sue quatro carte, ma la sappi che sul fervore del progresso io sono bon testimonio che il galantuomo è stato un mese e più con la speranza di aver un quadro e poi li fue risposto che no i vol tenire li suoi quadri fuor di sua Camera tre mesi come già ne era informati, l'intagliatore apunto per non prendersi l'incomodo di andarli a disegnare, si contenta per ora di tirar avanti. Le dicco serto che se le cose riesse a seconda lei fa una gran sortita, stante la sospension del Vagner. Non vedo lora di sentir come si contenta il Sig. Faldoni del disegno e lo incoragisca a

ciò intagli quanto mai sa, e poi venghi fuori quante carte sà venire ed intanto ai suoi stimatissimi comandi mi soscrivo

di V.S. Ill.ma il dev.mo et oss.mo servitor
Pietro Longhi

(Bassano, Museo Civico, Ep. Remondini, XIII-25-3543)

Venezia li 13 Maggio 1749

Ill.mo Sig. e Paron Col.mo

Grazie a Dio spero di rimetermi per la seconda volta e che il male più non venga, così auguro a la S.V. Ill.ma la sua intiera salute. Ho veduto la prova e quando sia coretto tute quele cose che su la medema ò accenatto col lapis soviè tuto il campo più scuro, e à da esser così infalibilmente aciò trionfi più le figure e non si veda tanto quei lavori che faceva mal asai e confondeva la composicione. Il barcarol più forte de scuri tuta la figura è da marcar più li sbatimenti delle gambe, è cresciuto dei capelli verso il fronte che li mancava della testa, ò giustà la scarpa verso il cavalier a ciò scorzi più, la schena del medesimo dal muso in su più sporcha. Nella testa del cavalier la pupila drita guarda losco perché non è giusta, ò cresciuto al medemo un po di spalla vicino al barcarol, ò cresciuto un pò di contorno alla gamba con la mulla, ò un pò dirisato il tavolin vicino alla bossa dalla parte dell'ombra. Li capelli del camerier vicino alla carne meno crudi. Il scagno il suo sbatimento soto la cordella e più forte tuto il sbatimento. La testa della Puta le pupille non à da esser lunghe, ma tonde che farà megio idea. La vecchia più bassa sioè non alumatta, il teren da la parte della Puta più sporco. Tute queste cose Lò già marcate col Lapis, che esamini bene è bisogna far così e così facendo anderà tuto bene e mi ralegro e si sia coragio che verà bene assai, e la riverisco.

Caro il Mio Riv.mo Sig. Gio. Battista, se potessi far di più lo farei a tuto costo per lei. La prego di spedire il canon di latta sciò sij possi Spedirle il disegno della mascheratta che ò avuto prima di spedire a Dresda il quadro di farlo disegnare e facio che il se contenta di sollo tre Filipi e lè un disegno d'impegno. Ancor di questo dia li suoi ordini aciò il Puto resti sodisfato; sto atendendo suoi avisi e tuto a suoi comandi sono

di V.S. Ill.ma il dev.mo et oss.mo servitor
Pietro Longhi

(Bassano, Museo Civico, Ep. Remondini, XIII-25-3544)

Venezia li 10 Aprile 1751

Ill.mo Sig. Paron Coll.o

Rispondo a un suo riverito foglio in data li 7 cor.e. Ho subito presentato la lettera a S.E. Ill.ma mi rispose che a Ca' Grimani non si à veduto vino da consegnare al Longhi giusto il consertato. La Lettera che scrissi tempo fa a V.S.ll li accenava a S.E.a Giovanni Grimani dei Servi e detto cavaliere è pronto a favorirmi se cosi piasse a S.V.Ill. Se poi ad altre case Grimani equivocate lo avesse spedito, me ne dia avviso con lettera aciò possi asigurarmi per riceverlo. Riservandomi alle nove de suoi pregiati comandi, con che mi soscrivo di V.S.Ill.ma servitor

Pietro Longhi

(Bassano, Museo Civico, Ep. Remondini, XIII-25-3545)

Venezia 23 Aprile 1751

Ill.mo Sig. e Par.n Coll.mo

Rispondo alla carissima sua, d'apunto devo dirli che quasi sono iluminatto che per altro ero al'oscuro. Per tanto per compiazere il mio amabile Sig. Gio. Batta Remondini Padrone, ho cercato dell'amico Marcello Robazza che subito fato mi mostrò l'ultima prova del intagliatore livornese che non conosco, per me questo niente importa. Il buon ochio di Marzello è abbastanza, è veramente di tal prova ne sono contento, si per il disegno come per l'armonia e per legerezza delle sede, a diferenza dele grose sede del Faldoni, questo me sia permeso il dirlo, credo che basti per asicurar V.S.Ill.ma della abilità di tal intagliatore. So per altro che la Persona e il Rame è a Bassano e non mi persuado che il Rame uscirà al pubblico senza la corezione di quei volti e capelli e Baute, e ancor la testa del Cafetiere e altre minuzie che apunto è quelle che rende l'opera perfetta e tali sottigliezze serve all'interese di V.S. e al mio decoro e non esser strapassato da intagliatori non diligenti.

Il giovane che lei mi ricercha à quel Fiorentino del Vagner che mi dice di avere prencipiato un disegno d'un mio quadro che à avuto è à presente, il sudetto è mi dicce che era per conto dei Remondini su tal mio aviso Lei si regoli. Parlando al Sig. Gio. Picoli, che stimo per bravo intagliatore, ma lo bramo vicino e non lontano non so se mi spieghi, intanto se o l'uno o l'altro de sti Sig.ri intagliatori non prenderà impegno positivo con me di farmi vedere le prime prove e ridurle a misura della sua abilità è mio intender, non avrò mai coraggio di farli avere disegni, se così si com-

binerà il Longhi sarà con tuto il core per l'interesse del Sig. Gio. Batta Remondini che le professa della stima e amore e sono e sarò a suoi riveriti comandi.

Di più la esorto à offiziare Marzello Robazza, che veramente intende cosa sia ridure un buon rame, in masima, et io poi sarò riservatto a li ultimi tochi che lo renderà di piacere universale, e senza pasar per altre mani per me la credo la più savia et abile. Di V.S. Ill.ma servitor

Pietro Longhi

(Bassano, Museo Civico, Ep. Remondini, XIII-25-3546)

Venezia li 8 Maggio 1751

Ill.mo Sig. Par.n Col.mo

Ho debito d'una sua scrita li 24 Aprile.

Per conto della medema La dico che ò avuto conferenza col Vagner è mi persuado che il Rame rimandato sarà asistito dal sudeto. Per conto del Fiorentino non si lusinghiamo che posi disegnare né intagliare per conto di V.S.Ill.ma avendo troppi impegni per il suo principale, per me il Sig. Gio. Batta Remondini ne pel tuto ed a misura dei suoi avisi opererò sempre per servirlo, per risponderli con metodo. Mi resta un solo fiasco e è finito il picolo Baritolino del che sto atendendo di fresco in fresco le care sue grazie resto tuto suo. Di V.S.Ill.ma servitor

Pietro Longhi

(Bassano, Museo Civico, Ep. Remondini, XIII-25-3547)

Venezia 5 Dicembre 1752

Ill.mo Sig. e Par. Col.o

Questa umilissima mia sen viene dal Ill.o Sig. Gio. Batta Rem.ni ad inchinarlo come è mio dovere e nel tempo stesso assiò dia ordine al suo Agiente di darmi quattro carte due p. sorte da consegnare a chi posiede li originali giusto il metodo consueto, abenché sia stato poco fortunato con questi due signori intagliatori, vi vol pacienzza con tuto questo però sarà bene far sapere al mondo che Le invencioni delli medemi sono del Longhi, che abenché sia disegnati è intagliati malle, co vi sarà stampato il mio nome il suo negozzio avrà molto più esito, anzi in questi giorni è convenuto che atesti io che li originali sono miei. Aspetterò dunque in questi giorni queste da consegnare con nome marchatto, e a suoi stimatissimi e venerati comandi sono di V.S.Ill.ma Servitor

Pietro Longhi

(Bassano, Museo Civico, Ep. Remondini, XIII-25-3550)

Venezia 12 Gen.ro 1752 M.V. [1753]
Ill.mo Sig. e Pat. Coll.mo

con trasporto di giubilo mi devo consolare con
V.S.Ill.a e con la degna sua consorte della nuova prole
mascolina, che costì si è sentito con piacere universalle,
segno evidente che il nostro amabile Sig. Gio. Batta
è da tuti amato ed io mi sotoscrivo il primo ad incon-
trare ogni occasione per servirla e compiacerla come
lo farò nella atenzione d'un buon intagliatore per po-
ter compiere la serie con buon nome se mai è possibile, vado godendo le sue grazie delle Luganeghe che
devo ringraziarla, è ò ricevuto ancor le dodezzi carte
che due consegnerò a S.E.a la Sig.a Cecilia Ema Morosini che possiede l'originale della Botega da Caffè e
l'altra a Ca' Zen, per ora più non lo tedio sotoscriven-
domi a suoi riveriti comandi mi dicco di V.S.Ill.ma
Servitor
Pietro Longhi

(Bassano, Museo Civico, Ep. Remondini, XIII-25-3548)

Scritti di contemporanei di Pietro Longhi

Longhi, tu che la mia musa sorella
chiami del tuo pennel che cerca il vero
ecco per la tua man, pel mio pensiero
argomento sublime, idea novella.

Ritrar tu puoi vergine illustre e bella
di dolce viso e portamento altero;
pinger puoi di Giovanni il ciglio arciero
che il dardo scocca alla gentil donzella.

Io canterò di lui le glorie e il nome,
la di lei fè, non ordinario vanto;
e divise saran tra di noi le some.

Tu coi vivi colori, ed io col canto;
io le grazie dirò, tu l'auree chiome;
e del suo Amor godran gli sposi intanto.

C. GOLDONI,
*Componimenti poetici per le felicissime nozze di Sue Eccellenze
il Signor Giovanni Grimani e la Signora Catterina Contarini*, 1750

Pietro Longhi, pittor veneziano, studiò la pittura
nella scuola di Antonio Balestra, ed in quella di Giuseppe Crespi detto lo Spagnuolo, in Bologna. Ma col
suo bizzarro e capriccioso talento si fece una nuova e
sua propria maniera di dipingere in piccole figure
conversazioni, giochi, ridotti, maschere, parlatorj, con
tal colorito ed evidenza, che a prima vista riconosconsi
le persone ed i luoghi rappresentati. Con tale abilità

salì a grande credito, e le sue opere si pagano a grossi
prezzi, molte delle quali sono a quest'ora da più d' un
incisore intagliate e date alle stampe.

A. ORLANDI, *Abecedario pittorico*, 1753

Fortunato sarà egualmente il nostro comune amico
celebratissimo Pietro Longhi, Pittore insigne, singola-
rissimo imitatore della natura, che, ritrovata una originale maniera di esprimere in Tela i caratteri, e le
passioni degli uomini, accresce prodigiosamente la gloria dell'arte della Pittura, che fiorì sempre nel nostro
Paese. Fortunato egli pure, voleva dire, poiché intra-
prendeste Voi a intagliare l'opera insigne dei Sette Sacramenti in sette quadri, mirabilmente da Lui disegnati e così al vivo espressi, che meritano certamente per
onore Suo, e per la gloria nostra essere al pubblico
comunicati.
C. GOLDONI, *Le commedie*, X, 1755 (ed. Paperini)

Pittore per attitudini naturali, e parlanti caricature, egli è il Sig.r Pietro Longhi, stà in contrada di San
Pantalon appresso San Rocco.

L. LIVAN, *Notizie d'Arte tratte dai Notatori e dagli Annali
del N.H. Pietro Gradenigo* (3 Settembre 1760), 1942

Pietro Longhi Veneziano, nato del 1702, aveva
suo padre gettatore d'Argento a luto, il quale veden-
dolo modellare, coltivò la sua inclinazione, e lo invogliò
del dissegno. Ebbe poi la buona sorte d'esser assistito
da Antonio Balestra Pittor Veronese rinomatissimo;
che dopo averlo tenuto appresso di sé parecchi anni,
lo mandò a Bologna, raccomandato a Giuseppe Crespi, detto lo Spagnoletto, famoso Pittore; e dopo alquanti anni di studio, ritornò a Venezia; ma comprendendo la dificoltà di distinguersi nello Storico,
mutò pensiero; ed avendo uno spirito brillante, e bizzarro, posesi a dipinger in certe piccole misure Civili
trattenim.ti, cioè, Conversazioni, Riduzzioni; con
ischerzi d'amori, di gelosie; i quali tratti esattamente
dal naturale fecero colpo. Dilatossi poi con Mascherate, così al vero espresse nei loro naturali andamenti,
che sono conosciute anco sotto la Maschera. Che, come strada non cercata, ne calcata da qualsivoglia
tanto antico, quanto moderno Pittore, piacque al som-
mo; cosicché sono desiderati i suoi quadri da tutte le
Case Patrizie non solo, ma da chiunque fa stima d'opere singolari; onde ne vengono spediti anco nelle Corti
d'Europa; e perché vantano lo stesso pregio impressi
in carte, sono da' più celebri Intagliatori incisi in rami. Vive in Patria applaudito, ed amato [...].

A. LONGHI, *Compendio delle vite de' Pittori Veneziani...*, 1762 [1761]

Sopra tutto però veggo, che s'ammirano le imitazioni inventate dal Signor Pietro Longhi, perch'egli lasciato indietro ne' trovati suoi, le figure vestite all'antica, e gl'immaginati caratteri, ritragge nelle sue tele quel che vede con gli occhi suoi propri, e studia una situazione da aggrupparci dentro certi sentimenti, che pizzichino del gioviale. Principalmente veggo, che la sua buona riuscita deriva dallo esprimere felicemente i costumi, i quali in ogni attitudine delle sue figure si veggono.

G. Gozzi, in "L'Osservatore Veneto", 14 Febbraio 1761

Un altro veneto, e fu Pietro Longhi, prima del Balestra, poi dal Crespi fu indirizzato a piacer nelle quadrerie con que' bizzarri dipinti di mascherate, di conversazioni, di paesi che si veggono in case patrizie.

L. Lanzi, *Storia pittorica dell'Italia*, 1795-96

Longhi (Pietro), o Lunghi, nato a Venezia nel 1702, ha iniziato a modellare sotto la guida di suo padre, fonditore d'argento, e ciò gli aprì la strada del disegno e della pittura, che studiò sotto il Balestra, e poi a Bologna sotto Giuseppe Crespi, detto lo Spagnolo, e senza dubbio fu a questa scuola che egli si rivolse ai temi di conversazione, di feste e di mascherate, e, insomma, a tutte le occasioni della vita privata. Seppe giudicare rettamente se stesso e concludere che non sarebbe ugualmente riuscito a trattare la storia nel genere più nobile. Si limitò a questo, e fu apprezzato: divenne un secondo Watteau, ed ebbe molte commissioni. Sono stati incisi molti dei suoi dipinti a Venezia, dove vive. V. il Guarienti e Longhi, Vit. dei Pitt. Venez. È il padre di Alessandro Longhi, autore di un Compendio della Vite dei Pittori Veneziani che hanno vissuto ai nostri tempi o ancora viventi.

P. J. Mariette, *Abecedario...*, (-1774), 1854-56

Pietro Longhi *Itinerario di un'avventura critica*

Scomparendo circa due secoli fa, Pietro Longhi si lasciò dietro una scia di simpatia cordiale ma anche di sdegnosa indifferenza. Fu il pittore di una classe patrizia giunta ormai presso lo sfacelo, e seppe coglierne gli aspetti cordiali, umoristicamente sorridenti, paternalisticamente benevolenti. Fu insieme il cronista di un mondo piccolo, senza idealità filosofiche o patriottarde, e venne perciò disprezzato e ignorato dalla critica neoclassica. Risalì la china della fortuna critica soltanto con la moderna coscienza dei valori pittorici, espressione di quella scuola veneziana che dovette la propria riscoperta, almeno dei cosiddetti "artisti minori", all'epoca postimpressionistica. Con Canaletto e Guardi, col Tiepolo dei disegni e delle stampe si ritrovarono così i quadretti di 'conversazione' di Pietro Longhi, che tanto successo come "parlanti caricature" avevano raccolto durante la vita dell'artista. Le citazioni del Goldoni e del Gozzi, così come quelle del Gradenigo e dell'Orlandi-Guarienti, ne sono la dimostrazione. Si deve al Mariette (1774) la prima indicazione del carattere del tutto particolare della grafica longhiana: piuttosto sensibile alla linguistica dei francesi, come Watteau o Lancret, che ai disegnatori veneziani. Il senso di realtà, l'umile aderenza al vero, e insieme la penetrante dolcezza del segno, modellato dal carboncino rialzato di gessetti bianchi, fanno del *corpus* grafico del Longhi uno dei monumenti dell'arte veneziana settecentesca. Se ne è accorta anche la critica moderna, che dal Ravà al Moschini, dal Pallucchini

al Pignatti, ha dedicato ai disegni ampi studi specializzati (si veda la *Bibliografia*).

Dopo la pubblicazione delle due monografie complessive dovute al Ravà (1909 e 1923), ricche di giudizi favorevoli, la fortuna critica del Longhi attraversa un periodo negativo, evidenziato dagli scritti del Damerini (1928) e del Fiocco (1929): entrambi prevalentemente impressionati — ma a torto — dalla tematica fin troppo uniforme del pittore. Lo si accusa così di limitarsi alla "cronaca mondana" e se ne mette in dubbio "il cervello". Su questa via procedono l'Arslan (1943), che sopravvaluta i disegni a spese dei pur squisiti dipinti, e il Levey (1959), che proietta la figura del Longhi sullo sfondo del *conversation-piece* europeo, negandogli la qualità di grande maestro.

Frattanto, con l'usuale vivacità polemica, Roberto Longhi (1946) aveva sollevato il pittore nell'Empireo dei grandi interpreti della cultura figurativa dell'illuminismo, e gli riconosceva, nella stanca e conformista atmosfera veneziana, una posizione di iniziatore. I successivi contributi della critica hanno tenuto conto di entrambe le tendenze, cercando da un lato di approfondire la conoscenza filologica dei periodi iniziali ed estremi (Pallucchini, 1946; Valcanover, 1956); così come analizzando il processo di lavoro attraverso la mediazione dell'appunto grafico. Il *corpus* raccolto dal Pignatti nel 1968 ha potuto elencare 225 pitture e 162 disegni, cui circa una decina sono stati successivamente aggiunti (Pignatti, 1972).

Che delizioso storico dei costumi è il Longhi! che dà alle sue raffigurazioni, da testimone oculare e da uomo di spirito, uno scenario e un'ambientazione non ispirati a un ideale agreste o decorativo, ma all'intimità domestica della vita privata veneziana: un artista, nelle tele grandi, la cui pittura decorativa ha delle affinità con quella di Goya. Due quaderni di studi del Longhi, conservati nello studio del direttore, rivelano nel pittore veneziano un'assimilazione completa del segno di Lancret, con quelle gambe tratteggiate alla maniera del maestro Watteau, con quei colpi di matita nera spuntata, consueti nei disegnatori francesi. [...] Longhi disegna dal vero perfino i vasi da notte.

E. e J. DE GONCOURT, *L'Italie d'hier. Notes de voyages 1855-56*, 1894

[...] E come Rosalba canta le eroine dell'istante d'amore, Pietro Longhi, gentile piccolo Lancret di Venezia, che si diletta del vivace spettacolo delle strade, che ne coglie sul fatto

le mille e una scenetta, che si balocca, che gironzola, che bighellona col naso all'aria, che ficca il naso in fondo alle botteghe, che si insinua nell'intimità dei 'casini', che s'intrufola all'interno delle pareti domestiche, Pietro Longhi canta i costumi della città bizzarra. È un delizioso pittore di costume. È un pittore di costume gioviale e rubicondo.

P. MONNIER, *Venise au XVIIIe siècle*, 1908

L'amore per la pittura non era assolutamente morto a Venezia, e Longhi dipinse per i veneziani appassionati di pittura la loro stessa vita, in tutte le sue fasi quotidiane, domestiche e mondane. Nelle scene riguardanti l'acconciatura e l'abbigliamento della dama, troviamo il pettegolezzo del barbiere imparruccato, le chiacchiere della cameriera; nella scuola di danza, l'amabile suono del violino. Non c'è nessuna nota tragica. Ognuno si veste, danza, si inchina, prende il caffè come se non fosse possibile desiderare di far null'altro al mondo.

Un senso di profonda cortesia di costumi, di grande raffinatezza, insieme con un onnipresente buon umore distingue i dipinti del Longhi da quelli di Hogarth, a volte così spietato e carico di presagi di mutamento.

B. BERENSON, *The Venetian Painters of the Renaissance*, 1911

[...] Di questo mondo egli è il riproduttore fedele e un pochino indiscreto: tutto è messo in evidenza dal suo pennello preciso e colorito: i sorrisi, gli sguardi, le mosse affettate, le moine adulatrici, le leziosaggini preziose, le riverenze, gli inchini. Egli ci fa scoprire un neo provocante o un impaziente piedino che esce di sotto alla gonna; coglie uno sguardo insistente attraverso l'occhialino, o una confidenza sussurrata dietro il ventaglio; segue il propalarsi rapido e sommesso di un piccolo scandalo, accolto da risa soffocate, rende la cadenza misurata e aggraziata di un passo di minuetto, o il gesto mellifluo di chi declama un madrigale; egli ci insegna come si porta la 'baùta', come si regge un guardinfante, come si offre una bomboniera, come ci si presenta o ci si congeda; come un perfetto lacchè deve offrire un vassoio di dolci; e tutto ciò con una delicatezza, una facilità, una efficacia ammirevoli. Così Pietro Longhi ritrova finalmente se stesso e può estrinsecare pienamente le sue doti naturali, arrivando a una tale perfezione d'arte, da meritarsi il nome di "Goldoni della pittura".

A. RAVÀ, *Pietro Longhi*, 1909

Volendo dare un giudizio spassionato sull'opera di Pietro Longhi, diremo che il suo merito principale consiste nell'aver introdotto a Venezia il quadro di genere applicando gli insegnamenti del suo maestro Giuseppe Crespi alla società veneziana del Settecento, che egli, senza pretendere agli intendimenti morali di Hogarth e senza possedere la grazia delicata, né il sentimentalismo, né l'acutezza psicologica dei pittori francesi contemporanei, riprodusse fedelmente con amabile realismo e con inimitabile colore locale in mille gustose scenette còlte dal vero.

A. RAVÀ, *Pietro Longhi*, 1923

[...] Non devesi infatti dimenticare che molte delle piccole tele che egli dipinse come quadri di genere altro non sono se non piccoli ritratti di famiglia, ispirati da ricorrenze o da avvenimenti intimi di una certa solennità. In sostanza, l'argomento della sua pittura è la cronaca mondana. [...] Ma il genere gli si stereotipa sotto il pennello, un po' alla volta gli diventano convenzionali, di maniera, quegli stessi aspetti grazie ai quali la letteratura encomiastica innamorata della vita del Settecento lo assomiglia, poi, leggermente a Goldoni pel suo dono di osservatore, al Parini, ancora più leggermente, per la evidenza molto discutibile della sua satira.

G. DAMERINI, *I pittori veneziani del Settecento*, 1928

[...] Così si conoscono quasi tutte le frottole, dipinte da Pietro Longhi con una tecnica squisita, ma senza cervello.

G. FIOCCO, *La pittura veneziana del Seicento e Settecento*, 1929

[...] E si può credere che l'artista dovette essere lento nel lavorare; perché nei suoi dipinti si spenge del tutto la rapidità

visiva dei suoi mirabili disegni, non dissimili da quelli di un Lancret o di un Watteau.

E. ARSLAN, *Di Alessandro e Pietro Longhi*, in "Emporium", 1943

Pietro Longhi si pone di fronte al costume moderno con un distacco, una superiorità che sono lontani dall'esser intesi. Anche l'elogio del Goldoni sul suo "pennel che cerca il vero" gli ha forse nuociuto cadendo nelle mani di chi, probabilmente, non intendeva né il Longhi, né il Goldoni. In sede di cultura andranno certamente ricercate ancora, e pesate meglio, le sue ascendenze non soltanto nel bolognese Crespi, ma soprattutto nella pittura borghese e popolare bresciana e bergamasca che sulla fine del Sei e sul principio del Settecento, era, col Ghislandi e col Ceruti, la pittura più seria e più sincera di tutta la repubblica veneta. Ma il Longhi prende un passo europeo e si misura con la scala del Watteau e dello Chardin.

R. LONGHI, *Viatico per cinque secoli di pittura veneziana*, 1946

[...] La preziosa esistenza delle immagini è tutta affidata al colore, che per la impalpabile morbidezza di sfumature e di trapassi trova unico riscontro — inimmaginabile dalle riproduzioni in bianco e nero — nei pastelli di Rosalba Carriera [...]. È una melodia di toni magicamente scolorati, da temere che un soffio li cancelli: azzurri e rosa teneri, aranciони luminosi; di accordi sommessi e palpitanti che attingono ad una mirabile delicatezza.

F. VALCANOVER, *Affreschi sconosciuti di Pietro Longhi*, in "Paragone Arte", 1956

Come egli partisse dallo studio del vero risulta anzitutto nella sua attività disegnativa fecondissima e geniale. Fissava nei fogli figure e particolari, aggiungendo a volte annotazioni, e mentre si procurava in tal guisa dei quaderni di appunti di prezioso appoggio alle pitture, esprimeva già la sua arte. Tutto un mondo vive in quei disegni, dai domestici interni coi loro tendaggi e i ritratti degli avi, alle dame preziose in dilatate *andriennes*, ai signori in velada, alle 'baùte' ambigue e via via fino alla servitù e alla povera gente. L'artista guardava intorno a sé nella Venezia più brillante d'incontri mondani, come in quella chiusa e assonnata delle antiche dimore, ghiotto delle effimere parvenze della moda e d'ogni particolare in un'acconciatura, un nastro, un fiore.

V. MOSCHINI, *Pietro Longhi*, 1956

Il disegno è il primo colpo d'occhio e la lente che mette a fuoco quel determinato particolare, e vede e penetra e sa tutto (fu detto che se volete sapere che cosa facesse una dama a qualsiasi ora del giorno, potete domandarlo al Longhi: ve lo dirà). Dal disegno comincia verso per verso, strofa per strofa, questo componimento garrulo, garbato, e mai impertinente, di una maldicenza senza fiele, quasi impercettibilmente caricaturale, amabile, indulgente, affettuosa; poemetto del vivere quotidiano più intimo e più casalingo di quello dei francesi coetanei, da Lancret a Chardin; più libero e più particolarmente poetico di quello di un fiammingo o di un olandese il cui gusto non segue fino alle rumorose Kermesses o alle chiassose adunate di paesani e di contadini; perché questi personaggi, il popolo di Longhi, non è mai plebe, è sempre di veneziana distinzione, sorvegliato e galante anche se si tratta di gondolieri o di battitori di caccia; nella verità della rappresentazione, il verismo naturalistico non tocca mai la volgarità; e lo stesso 'morbin', e il 'boresso' e perfino una iniziale e distintiva sensualità di queste creature, vengono sempre tradotti in forma gentile e in gusto aggraziato.

G. DE LOGU, *Pittura veneziana dal XIV al XVIII secolo*, 1958

Si tratta di una specie di Molière della pittura, o piuttosto, come si è spesso notato, di una equivalenza pittorica del Goldoni più incisivo ed ironico. In genere si è molto apprezzato il valore documentario di questo diario illustrato, trascurandone le alte qualità pittoriche, testimoni di una sensibilità eccezionale per gli interni, per i colori dimessi e ben calcolati. [...] Un'arte che non può confondersi con quella di un Hogarth o di uno Chardin.

A. CHASTEL, *L'Arte Italiana*, 1958

L'impressione di disorganicità nella rappresentazione sia per quanto riguarda la composizione, sia per quanto riguarda il tema, è tipica del Longhi e pone il problema se egli fosse un *naïf* o soltanto un falso *naïf*. È un pittore a cui tocca regolarmente di raccogliere le più stravaganti e ottuse lodi che possano essere attribuite, perfino da critici italiani, a un artista. Benché la goffaggine presupponga sempre un tocco di genio, e benché Longhi sia stato accostato a Watteau (per dire il vero, questa stupefacente analogia ha origine a opera del Mariette) e paragonato a Renoir o a Manet, non è questa la via per giudicarlo giustamente o rettamente. Dal momento che è unico, si è concluso che è di importanza incalcolabile. Sembra però che la sua goffa tecnica pittorica, la sua costante incapacità di fissare i piani di un dipinto e disegnare con proprietà, fossero puri e semplici difetti che non riuscì a emendare anche dopo molti anni di pratica.

M. LEVEY, *Painting in XVIII Century Venice*, 1959

[...] Non improvvisa: non crea di memoria. La sua fantasia non consiste nel getto dell'invenzione, ma nel modo con cui rielabora pittoricamente, nella unità di un organico sistema compositivo, gli appunti e le impressioni còlte sul vero, con quei suoi modi pittorici delicati, affatto plastici, ma tutt'intenti a suggerire effetti di luminosità e di colore. Attraverso la pratica disegnativa, tenendo presente esempi francesi di Watteau, Lancret, Portail, Mercier, il Longhi veniva affinando quel suo gusto un po' goffo e pesante, ereditato dalla scuola del Crespi e del Gamberini, imprimendo alle sue figure una eleganza nuova, d'un sapore leggermente gracile e quindi di carattere sottilmente ironico. Ma allorché, sulla scorta di questi disegni, dove è fissata la situazione tematica di ciascuna figura, il Longhi passa al dipinto, egli compone la scena *sub specie coloris*: un colore prezioso, equilibrato nei passaggi e nella più raffinata discriminazione di accordi.

R. PALLUCCHINI, *La pittura veneziana del Settecento*, 1960

Fu certamente un segno delle nuove idee che si sviluppavano a Venezia – dove nel 1760 Gaspare Gozzi pubblicava "L'Osservatore" ad imitazione di "The Spectator" – il fatto che Pietro Longhi (1702-85), l'"Hogarth italiano", di soli sei anni più giovane del Tiepolo, rinunciasse presto a dipingere affreschi barocco-mitologici in favore di una pittura di genere

illustrante la vita del suo tempo con una vena documentaria assolutamente nuova. Tale cambiamento di indirizzo risale al 1734 circa, ma la maggior parte di queste opere furono dipinte verosimilmente durante gli ultimi anni della vita di Hogarth e dopo la sua morte. Si afferma che il Longhi intraprese questo genere come conseguenza dei suoi studi bolognesi sotto la guida del Crespi oppure sotto l'influsso delle incisioni di Hogarth. In ogni caso – e mi sembra che le singole figure del *"Marriage à la Mode"* debbano aver attirato la sua attenzione – i suoi dipinti rivelano più varietà e maggior penetrazione rispetto alla pittura di genere olandese del secolo XVII. Rappresentò gli svaghi e i costumi dell'aristocrazia mercantile veneziana, che possedeva determinate caratteristiche di ceto medio urbano, e, a volte, anche quelli di gente più umile. Lo fece più sistematicamente di quanto non fosse mai stato fatto, con un linguaggio accurato e giornalistico ricco di una grande sensibilità per l'ambiente. Perciò il Longhi, senza il quale conosceremmo molto meno la vita dell'aristocrazia veneziana, ha qualche affinità con Hogarth. Ma l'arte di Hogarth non è una pura e semplice pittura di genere, è anche critica e dibattito; e il vago, talora impercettibile, umorismo di alcuni dipinti longhiani – lontano dall'ironia che oggi si è soliti scoprirvi – non può sostituirne il vigore ideale.

F. ANTAL, *Hogarth and His Place in European Art*, 1962

È abbastanza facile supporre che il Lodoli possa aver ammirato il padre di Alessandro, Pietro. Infatti sappiamo che Pietro Longhi era tenuto in grande considerazione in altri circoli avanzati della società veneziana. È significativo il fatto che nel 1750 il Goldoni, per la prima volta, salutasse in lui un uomo "che cerca il vero". Proprio in questo periodo il Goldoni stava rompendo deliberatamente e in maniera incisiva col vecchio teatro delle maschere e stava tentando una riforma del teatro stesso attraverso il ritorno alla natura. Così il pittore avrebbe potuto benissimo ispirare il poeta – Longhi dipingeva già da anni scenette di genere – piuttosto che il contrario, come generalmente si pensa. Sette anni più tardi il Goldoni ritornò sull'argomento e lodò nuovamente il Longhi per la sua "maniera di esprimere in tela i caratteri e le passioni degli uomini". Le simpatie del Goldoni erano 'avanzate', almeno per implicazione, ed egli fu accusato dagli oppositori di essere un "corruttore non meno della poesia che del buon costume". Potrebbero adattarsi le raffigurazioni del Longhi – quei piccoli squarci di conversazioni, incontri, scene giocose di amore e gelosia – allo stesso tipo di interpretazione? L'idea stessa appare "assurda" sebbene agli inizi del diciannovesimo secolo uno storico veneziano (peraltro non confortato da alcun elemento comprovante) sostenesse che "per la sua spasmodica ricerca del vero nella pittura era incorso più volte in sanzioni penali". Non di meno è significativo che la lode più entusiastica dovesse essergli tributata da uomini ansiosi di osservare obiettivamente la realtà contingenziale della vita veneziana in modo non certo usuale a quel tempo.

Nonostante questo, Pietro Longhi fu certamente ammirato e accolto da un grosso numero di famiglie patrizie in nessun modo legate alle ideologie più avanzate, e agli occhi dei più il suo distacco dalla fantasia poteva non significare un legame diretto con i motivi politici.

F. HASKELL, *Patrons and Painters*, 1963

[...] In effetti risulta straordinario veder come nell'aria generale che circola entro le scenette longhiane, un'aria che, tutto sommato, potremmo dire soffi verso il progressivo rincretinimento d'una certa classe, i personaggi riescano poi a salvare il loro viso, una loro particolare, seppur lievissima e minutissima psiche.

Ecco spiegata la strana, ma affascinante medianità in cui le scenette longhiane vengono a trovarsi; che sia tra il vero, a cui tanto il nostro Pietro mostrò di tenere, e il pupazzo, verso cui una considerazione non ovvia e, anzi, abbastanza coraggiosa della situazione sociale del proprio tempo, infallantemente lo condusse.

Che poi, in quella medianità, entri il dito del compiacimento, tanto per vellicare i ritratti, quanto per sorriderne insieme, non saprei negare; tanto più che il dito o ditino è lo stesso che stropiccia la materia della pittura, la sminuzza come una pappa dorata o un dorato becchime di gallina; la illude d'eleganze e, nello stesso tempo, la disillude d'ombre, la incipria e le fa il *maquillage*, ma tenendo il proprio cuore sospeso e distante.

Una farina da caleidoscopio lagunare, dove si fanno e disfano di continuo nasi e nasucci, labbri e labruzzi, guance e guancine, mani e manine, gambe e gambette, zampe e zampine, tende e tendine, tavoli e tavolini, poltrone e poltroncine; una farina che lascia attorno un pulviscolo verde e rosa, quasi per un'alba tramontante e, nello stesso tempo, il sospetto che la festa non potrà certo durar in eterno; né la frivolità; né la chiacchiera e il pettegolezzo.

Questo per le scenette, che non si finirà mai di elogiare. Ma che accade quando Pietro fa uscir uno dei suoi personaggi dalle stanze delle *case patricie* così pericolosamente in bilico e inumidite dalla salsedine, e li lascia venir in primo piano? Il meno che si può dire è che, mancandogli la relazione con altri personaggi, mancandogli insomma la chiacchiera e il pettegolezzo, tutto diventa immobile, secco, sfiatato; e che il famoso dito o ditino non si mette più fra mezzo, non dirò a creare quella medianità morale, così acidula ed eccitante, ma neppure a rendere mobile ed esprimente la farina rosata, il becchime delizioso e profumante della sua materia.

[L. Mallè] - G. Testori, Giacomo Ceruti e la ritrattistica del suo tempo, 1967

I disegni del Longhi presentano certamente un carattere di assoluta originalità. Si tratta prima di tutto di annotazioni eseguite dal vero, colme di ripetizioni di particolari, rimaneggiati con pazienza fino al perfetto compimento. Recano talvolta annotazioni sui colori, i materiali, gli abiti e i mobili. Contrariamente alla maggior parte dei contemporanei veneziani Longhi disegna dal vero, con intenti 'documentari'; così pure tutta la sua pittura sarà documentaria e realista. Una *Conversazione in famiglia*, oggi nella collezione Norton Simon ce lo mostra, taccuino in mano, tra i patrizi che prendono il caffè: come un fotografo fedele, cronista instancabile del costume e della società. La tecnica è anch'essa differente da quella dei veneziani del tempo. Longhi predilige il carboncino o la matita morbida, ricerca gli effetti luministici ottenuti per mezzo delle lumeggiature bianche in contrasto con la carta bruna o grigioazzurra. La linea scorre in tratti frammentari ma precisi, e definisce rapidamente le figure, con frequenti riprese di carattere nettamente cromatico. Talvolta, una specie di sfumatura

ombreggiata, ottenuta riprendendo il segno con il carboncino o con la biacca, crea un rilievo plastico analogo a quello che i pastellisti ottengono strofinando il disegno con il polpastrello. Longhi appare così come un disegnatore autentico. Proprio qui sta la differenza rispetto agli altri veneziani: questi ultimi in realtà, anche quando si occupano molto di disegno, come il Tiepolo o il Piazzetta, restano sempre pittori che hanno adottato occasionalmente un'altra tecnica. Longhi invece 'scrive', annota con pazienza, costruisce la figura per elementi, l'analizza nei suoi particolari; e non solo per preparare con più cura i dipinti, ma soprattutto per portare a termine quella conquista del reale che lo affascina. Questo atteggiamento fa di lui un illuminista più che un adepto della mitologia rococò che inizia la sua decadenza nella prima metà del secolo.

T. Pignatti, Les Dessins de P. L., in "L'Oeil", 1968

Lungi dall'assumere significato di "protesta sociale", la parlata del Longhi mantenne dunque l'atteggiamento bonario, paternalistico e un po' provinciale che dava il tono alla pacifica aristocrazia veneta di fine secolo: sia che le ragazze di casa fossero intente a rifocillare con benevolenza il vecchio *Servitore fedele* (Londra, National Gallery), sia che il signore elargisse un sorriso ai miseri battitori della *Caccia in valle* (Venezia, Querini). E fu anche spesso una pittura timidetta e codina, là dove inserì nelle sue *Famiglie patrizie* i bravi abati precettori (Venezia, Ca' Rezzonico), e sforzò a pose di sorridente devozione le zuccherose contadinotte dei suoi *Sacramenti* (Venezia, Querini) o delle numerose *Prediche* (Bergamo e Milano, coll. privata).

Qual'è allora la vena genuina dell'artista, ove spicca e risplende la sua autentica umanità? Ci pare di poterla indicare nella bonaria e ironica osservazione dei sentimenti, espressi nei modi sinceri e immediati della poesia vernacola, adombrata di veneziana malizia, nel più piccante e fluido linguaggio. Viene così da ricordare, ben più che il troppo citato Goldoni (superiore per incisività e penetrazione psicologica) tutta una serie di molli cadenze, tipiche della letteratura in dialetto veneto settecentesco [...].

T. Pignatti, Pietro Longhi, 1968

Dopo il 1770 il vecchio Pietro Longhi mostra ancora un'insospettabile forza di rinnovamento linguistico, sviluppando quell'ultima 'maniera' che il Pignatti definisce "borghese". Ormai l'"indagine è indirizzata su una classe che ha perduto ogni 'ritmo vitale'". Una sommaria definizione di segno, una rada tessitura cromatica priva o quasi d'ombra, è la tecnica che permette all'artista di fissare con avvincente efficacia evocativa per l'ultima volta "quel che vede con gli occhi suoi propri": la società veneziana nel momento melanconico ed ineluttabile del declino alla fine del secolo. La presunta "decadenza fisica" del Longhi, la declassazione ad *ex voto* delle sue piccole tele, sono con fermezza rifiutate dal Pignatti; ed egli, come nessun altro studioso prima, ed a mio avviso giustamente, insiste nel ritenere che negli ultimi brani pittorici nulla va perduto della qualità poetica dello stile personalissimo del Longhi; anzi esso "acquista [...] una sempre più profonda, delicata umanità".

In questa ultima fase dell'artista, caratterizzata da una ritrattistica "centrata sul personaggio inteso nella sua intima psicologia, piuttosto che nel suo ambiente sociale", il Pignatti

13

è propenso a ravvisare una particolare influenza del figlio Alessandro. Senza dubbio un rapporto fra i due Longhi vi fu. Ma si tratta, semmai, di una pronta intelligenza di Alessandro per ogni scarto della fantasia e della linguistica paterna [...].

F. VALCANOVER, Il "Catalogo ragionato" delle opere di Pietro Longhi,
in "Arte Veneta", 1968

Ogni studioso veneziano parte naturalmente avvantaggiato quando si occupa di un simile talento locale – tipicamente locale – ma i medesimi vantaggi possono dimostrarsi degli svantaggi in mancanza di una certa ampiezza equilibratrice di esperienza artistica, e di vita, nel mondo al di fuori di Venezia. Finché non si sono viste opere di Watteau e di Hogarth può sembrare ragionevole accostarvi da pari a pari il Longhi. Il professor Pignatti non solo ha lavorato con ampiezza di orizzonti e indagato con intelligenza, ma ha anche scritto sulla pittura settecentesca europea. In questo libro egli cita se stesso, giustamente, nella sua antologia della critica sul Longhi, scegliendo un brano che inizia: "[...] sarebbe assurdo pretendere di portarlo, sul piano della qualità, di fronte a genii universali come Watteau o Chardin".

Queste parole salutarmente misurate non significano che l'autore non provi ammirazione per l'oggetto del suo studio. Dice tutto ciò che giustamente si può dire dei meriti del Longhi e al tempo stesso fornisce la più completa documentazione – sia attraverso i disegni sia attraverso i dipinti – perché ciascuno di noi possa giungere alle proprie conclusioni. In realtà egli ha fatto un lavoro così buono da far desiderare che il pittore in questione si fosse accostato all'arte con uguale diligenza. Alcune persone – e chi scrive rispetta la loro opinione – stimano molto il Longhi, ed è probabile che criticandolo severamente oggi si sia a nostra volta severamente criticati. È forse meglio sorvolare sullo spinoso problema se il Longhi sia degno di un tale monumento critico in rapporto alla reale entità della sua opera.

Tuttavia, ciò che conta è l'audacia – come forse dice Shakespeare da qualche parte – anche se mi sembra assurdo porre il Longhi, dal punto di vista qualitativo, allo stesso livello del vivace e solido talento di Lancret, di Saint-Aubin o di Troost, per non parlare di genii universali.

M. LEVEY, Terisio Pignatti, Longhi, in "Art Bulletin", 1970

Come e quando il Longhi si sia deciso a lasciare il 'genere storico' per i quadretti di genere popolare e le *Conversazioni* è argomento da tempo assai controverso, né vale ad illuminarlo più che tanto la testimonianza contenuta nelle *Vite dei Pittori* illustrata dal figlio Alessandro, là dove scrive che Pietro, "dopo essere stato parecchi anni col Balestra, [andò a] Bologna, raccomandato a Giuseppe Crespi [...]; e dopo alquanti anni di studio ritornò a Venezia; ma comprendendo la difficoltà di distinguersi nello storico, mutò pensiero", e passò alle scenette di genere e alle *Conversazioni*. [...] Si può dunque ritenere che il Longhi non possa essere stato col Balestra oltre il 1719, anno in cui quel pittore lasciò Venezia. Nel terzo decennio cadono quindi con ogni probabilità gli "alquanti anni di studio" passati a Bologna: comunque, nel 1730 lo ritroviamo a Venezia intento a contrattare la *Pala di San Pellegrino*, non troppo diversa dall'*Adorazione dei Magi* recentemente riscoperta a San Giovanni Evangelista. Nel 1732 prende moglie a Venezia; nel 1734 compie gli *Affreschi di Ca' Sagredo*, universalmente biasimati. È qui che finalmente il Longhi comprende "la difficoltà di distinguersi nello storico", cioè solo verso la metà del quarto decennio? Genere 'storico', – si badi bene – che implicava oltre che l'insegnamento del Balestra, anche la conoscenza dei maestri bolognesi (sintetizzati da Alessandro sotto il nome prestigioso di Crespi): e non è chi non veda appunto l'eco di un gigantismo carraccesco proprio a Ca' Sagredo; o qualche ombroso tono del Crespi maggiore nell'*Adorazione dei Magi*.

T. PIGNATTI, Aggiunte a Pietro Longhi, in "Arte Illustrata", 1972

Il colore
nell'arte di
Pietro Longhi

Elenco delle tavole

Pastorello [n. 9]
TAV. I
Assieme.

Pastorella con gallo [n. 11]
TAV. II
Assieme.

Le lavandaie [n. 14]
TAV. III
Assieme.

L'allegra coppia [n. 15]
TAV. IV
Assieme.

La polenta [n. 16]
TAV. V
Assieme.

La lezione di danza [n. 24]
TAV. VI
Assieme.

Il concertino [n. 23]
TAV. VII
Assieme.

Il sarto [n. 25]
TAV. VIII
Assieme.

La presentazione [n. 27]
TAV. IX
Assieme.
TAV. X
Part. delle figure in primo piano.

La visita alla biblioteca [n. 28]
TAV. XI
Assieme.

Il pittore nello studio [n. 35]
TAV. XII-XIII
Assieme.

Il gioco della pentola [n. 41]
TAV. XIV
Assieme.

Lo svenimento [n. 40]
TAV. XV
Assieme.

Madonna con il Bambino,
santi e angeli [n. 42]
TAV. XVI
Frammento con *Santa martire*.

La visita alla dama [n. 43]
TAV. XVII
Assieme.

Gruppo di famiglia [n. 47]
TAV. XVIII
Assieme.

La visita al lord [n. 45]
TAV. XIX
Assieme.
TAV. XX
Part. del lord a tavola.

La modista [n. 46]
TAV. XXI
Assieme.

La contadina
addormentata [n. 62]
TAV. XXII
Assieme.

Le filatrici [n. 61]
TAV. XXIII
Assieme.

La furlana [n. 69]
TAV. XXIV
Assieme.

La tentazione [n. 73]
TAV. XXV
Assieme.

Cacciatore e contadine [n. 72]
TAV. XXVI
Assieme.

Il rinoceronte [n. 78]
TAV. XXVII
Assieme.
TAV. XXVIII-XXIX
Part. con gli spettatori.

La scuola di lavoro [n. 82]
TAV. XXX
Assieme.

L'indovina [n. 81]
TAV. XXXI
Assieme.
TAV. XXXII
Particolare.

L'indovino [n. 53]
TAV. XXXIII
Assieme.
TAV. XXXIV
Part. in basso a destra.

Il farmacista [n. 83]
TAV. XXXV
Assieme.

Famiglia patrizia [n. 85]
TAV. XXXVI
Assieme.

La famiglia Sagredo [n. 84]
TAV. XXXVII
Assieme.

La lezione di geografia [n. 86]
TAV. XXXVIII
Assieme.

La passeggiata a cavallo [n. 106]
TAV. XXXIX
Assieme.

Conversazione familiare [n. 144]
TAV. XL
Assieme.

Il concertino in famiglia [n. 88]
TAV. XLI
Assieme.

Il battesimo [n. 93]
TAV. XLII
Assieme.

Il matrimonio [n. 96]
TAV. XLIII
Assieme.

Il ciarlatano [n. 121]
TAV. XLIV
Assieme.

'Il mondo novo' [n. 118]
TAV. XLV
Assieme.

La venditrice di essenze [n. 119]
TAV. XLVI
Assieme.

Negli orti dell'estuario [n. 127]
TAV. XLVII
Assieme.
TAV. XLVIII
Part. del gentiluomo a destra.

Gli alchimisti [n. 125]
TAV. IL
Assieme.

Il parrucchiere [n. 155]
TAV. L
Assieme.

La visita in 'baùta' [n. 154]
TAV. LI
Assieme.

La toeletta [n. 158]
TAV. LII
Assieme.

La dama dalla sarta [n. 157]
TAV. LIII
Assieme.

La caccia in valle
TAV. LIV
L'arrivo del signore [n. 188].
TAV. LV
La preparazione dei fucili [n. 189].
TAV. LVI
Il sorteggio dei cacciatori [n. 191].
TAV. LVII
La partenza per la caccia [n. 192].
TAV. LVIII
La posta in botte [n. 193].

Ritratto di famiglia [n. 166]
TAV. LIX
Assieme.

Monaci, canonici
e frati di Venezia [n. 168]
TAV. LX
Assieme.

Francesco Guardi [n. 177]
TAV. LXI
Assieme.

Benedetto Ganassoni [n. 206]
TAV. LXII
Assieme.

Il casotto del leone [n. 175]
TAV. LXIII
Assieme.

La cioccolata
del mattino [n. 219]
TAV. LXIV
Assieme.

Nell'edizione normale
In copertina
Part. del *Rinoceronte* [n. 78].

Il numero arabo posto fra parentesi quadre dopo il titolo di ciascuna opera si riferisce alla numerazione dei dipinti adottata nel Catalogo delle opere *che inizia a p. 84.*

AV. I   PASTORELLO   Bassano, Museo Civico   [n. 9]
Assieme (cm. 61×48).

TAV. II   PASTORELLA CON GALLO   Bassano, Museo Civico   [n. 11]
Assieme (cm. 61×48).

TAV. III   LE LAVANDAIE Venezia, Ca' Rezzonico [n. 14]
Assieme (cm. 61×50).

TAV. IV   L'ALLEGRA COPPIA Venezia, Ca' Rezzonico   [n. 15]
Assieme (cm. 61×50).

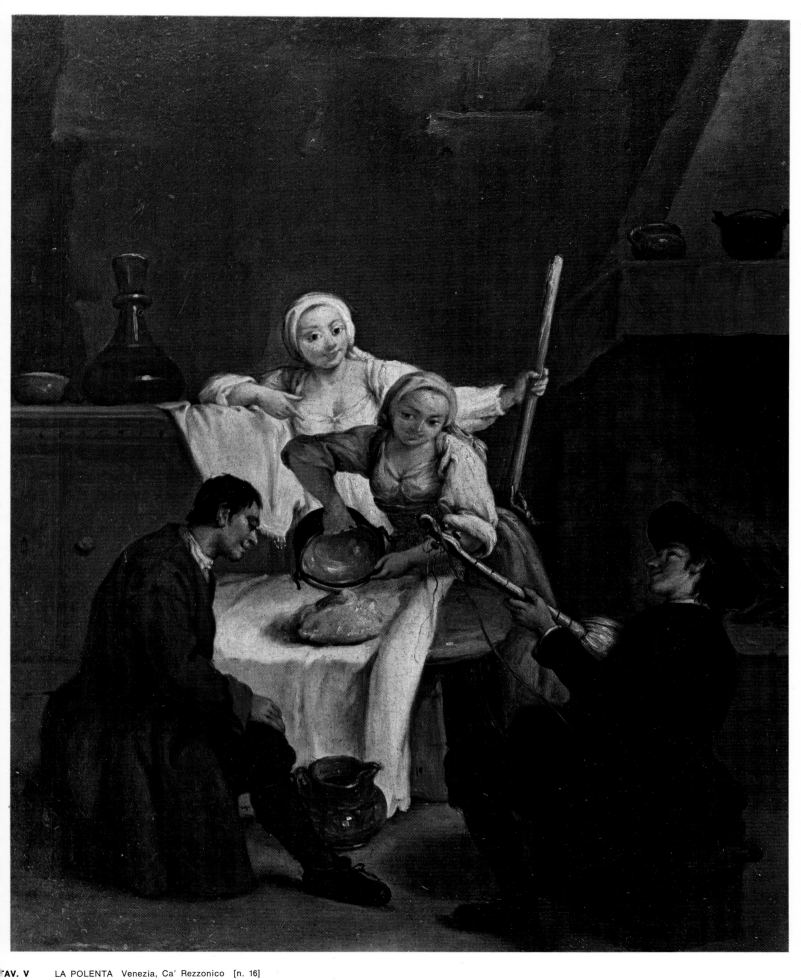

TAV. V   LA POLENTA Venezia, Ca' Rezzonico [n. 16]
          Assieme (cm. 61×50).

TAV. VI   LA LEZIONE DI DANZA   Venezia, Gallerie dell'Accademia   [n. 24]
Assieme (cm. 60×49).

TAV. VII   IL CONCERTINO Venezia, Gallerie dell'Accademia [n. 23]
Assieme (cm. 60×48).

TAV. VIII   IL SARTO Venezia, Gallerie dell'Accademia [n. 25]
Assieme (cm. 60×49).

AV. IX   LA PRESENTAZIONE Parigi, Louvre [n. 27]
Assieme (cm. 64×53).

TAV. X LA PRESENTAZIONE Parigi, Louvre [n. 27]
Particolare (grandezza naturale).

TAV. XI   LA VISITA ALLA BIBLIOTECA Worcester, Art Museum [n. 28]
Assieme (cm. 59×44).

IL PITTORE NELLO STUDIO Venezia, Ca' Rezzonico [n. 35]
Assieme (cm. 44×53).

TAV. XIV   IL GIOCO DELLA PENTOLA Washington, National Gallery of Art (Kress) [n. 41]
Assieme (cm. 49×61).

TAV. XV   LO SVENIMENTO Washington, National Gallery of Art (Kress) [n. 40]
Assieme (cm. 49×61).

TAV. XVI MADONNA CON IL BAMBINO, SANTI E ANGELI Venezia, chiesa di San Pantalon [n. 42]
Frammento con *Santa martire*.

TAV. XVII   LA VISITA ALLA DAMA New York, Metropolitan Museum   [n. 43]
Assieme (cm. 60,9×49,5).

TAV. XVIII   GRUPPO DI FAMIGLIA   Londra, National Gallery   [n. 47]
Assieme (cm. 61,3×49,5).

TAV. XIX   LA VISITA AL LORD New York, Metropolitan Museum   [n. 45]
Assieme (cm. 60,9×49,5).

TAV. XX LA VISITA AL LORD New York, Metropolitan Museum [n. 45]
Particolare (cm. 32,5×26,5).

TAV. XXI   LA MODISTA New York, Metropolitan Museum [n. 46]
               Assieme (cm. 61×49,5).

TAV. XXII   LA CONTADINA ADDORMENTATA Venezia, Pinacoteca Querini Stampalia [n. 62]
Assieme (cm. 61×50).

TAV. XXIII   LE FILATRICI Venezia, Pinacoteca Querini Stampalia [n. 61]
Assieme (cm. 60×49).

TAV. XXIV   LA FURLANA Venezia, Ca' Rezzonico [n. 69]
Assieme (cm. 62×51).

TAV. XXV   LA TENTAZIONE Hartford, Wadsworth Atheneum   [n. 73]
Assieme (cm. 61×49,5).

TAV. XXVI CACCIATORE E CONTADINE Milano, Alemagna [n. 72]
Assieme (cm. 60×48).

TAV. XXVII   IL RINOCERONTE Venezia, Ca' Rezzonico [n. 78]
Assieme (cm. 62×50).

TAV. XXVIII-XXIX   IL RINOCERONTE Venezia, Ca' Rezzonico [n. 78]
Particolare (grandezza naturale).

Vero Ritratto
Di un Rinocerono
condotto in Venezia
L'anno 1751
fatto per mano di
Pietro Longhi
per Commissione
Del N.O. Giovañi Grimani
dei Servi: Patrisio Veneto

TAV. XXX   LA SCUOLA DI LAVORO   Venezia, Ca' Rezzonico   [n. 82]
Assieme (cm. 62×50).

AV. XXXI   L'INDOVINA Venezia, Ca' Rezzonico [n. 81]
Assieme (cm. 62×50).

TAV. XXXII   L'INDOVINA   Venezia, Ca' Rezzonico   [n. 81]
Particolare (cm. 29,5×24).

TAV. XXXIII   L'INDOVINO Venezia, Gallerie dell'Accademia   [n. 53]
Assieme (cm. 60×49).

TAV. XXXIV L'INDOVINO Venezia, Gallerie dell'Accademia [n. 53]
Particolare (grandezza naturale).

TAV. XXXV   IL FARMACISTA   Venezia, Gallerie dell'Accademia   [n. 83]
Assieme (cm. 60×48).

TAV. XXXVI   FAMIGLIA PATRIZIA Venezia, Ca' Rezzonico [n. 85]
Assieme (cm. 62×50).

En TIBI SAGREDÆ præstantia lumina Gentis,
Lumina, quæ Venere clarius axe micant.
CÆCILIA est Auctrix CATHERINA MARIN æque Hetz,

TAV. XXXVII   LA FAMIGLIA SAGREDO   Venezia, Pinacoteca Querini Stampalia   [n. 84]
Assieme (cm. 61×50).

TAV. XXXVIII   LA LEZIONE DI GEOGRAFIA   Venezia, Pinacoteca Querini Stampalia   [n. 86]
Assieme (cm. 62×41,5).

TAV. XXXIX   LA PASSEGGIATA A CAVALLO Venezia, Ca' Rezzonico [n. 106]
Assieme (cm. 62×58).

TAV. XL CONVERSAZIONE FAMILIARE Saint-Moritz, propr. priv. [n. 144]
Assieme (cm. 61×49).

TAV. XLI   IL CONCERTINO IN FAMIGLIA   Venezia, Ca' Rezzonico   [n. 88]
Assieme (cm. 62×50).

TAV. XLII   IL BATTESIMO Venezia, Pinacoteca Querini Stampalia [n. 93]
Assieme (cm. 60×49).

TAV. XLIII IL MATRIMONIO Venezia, Pinacoteca Querini Stampalia [n. 96]
Assieme (cm. 62×50).

TAV. XLIV   IL CIARLATANO Venezia, Ca' Rezzonico [n. 121]
Assieme (cm. 62×50).

TAV. XLV   'IL MONDO NOVO' Venezia, Pinacoteca Querini Stampalia [n. 118]
Assieme (cm. 61×49).

TAV. XLVI LA VENDITRICE DI ESSENZE Venezia, Ca' Rezzonico [n. 119]
Assieme (cm. 61×51).

TAV. XLVII NEGLI ORTI DELL'ESTUARIO Venezia, Ca' Rezzonico [n. 127]
Assieme (cm. 62×50).

TAV. XLVIII   NEGLI ORTI DELL'ESTUARIO Venezia, Ca' Rezzonico [n. 127]
Particolare (grandezza naturale).

TAV. IL   GLI ALCHIMISTI Venezia, Ca' Rezzonico [n. 125]
Assieme (cm. 61×50).

TAV. L   IL PARRUCCHIERE Venezia, Ca' Rezzonico [n. 155]
Assieme (cm. 63×51).

AV. LI   LA VISITA IN 'BAŪTA' Venezia, Ca' Rezzonico   [n. 154]
Assieme (cm. 62×50).

TAV. LII   LA TOELETTA Venezia, Ca' Rezzonico [n. 158]
Assieme (cm. 61×50).

AV. LIII   LA DAMA DALLA SARTA   Venezia, Ca' Rezzonico   [n. 157]
Assieme (cm. 61×52).

TAV. LIV   LA CACCIA IN VALLE
L'arrivo del signore (cm. 62×50) Venezia, Pinacoteca Querini Stampalia [n. 188].

TAV. LV   LA CACCIA IN VALLE
La preparazione dei fucili (cm. 61×50) Venezia, Pinacoteca Querini Stampalia [n. 189].

TAV. LVI   LA CACCIA IN VALLE
Il sorteggio dei cacciatori (cm. 61×49) Venezia, Pinacoteca Querini Stampalia [n. 191].

TAV. LVII   LA CACCIA IN VALLE
La partenza per la caccia (cm. 61×50)   Venezia, Pinacoteca Querini Stampalia   [n. 192].

TAV. LVIII   LA CACCIA IN VALLE
La posta in botte (cm. 61×49,5) Venezia, Pinacoteca Querini Stampalia [n. 193].

TAV. LIX   RITRATTO DI FAMIGLIA   Segromigno Monte, eredi Salom   [n. 166]
Assieme (cm. 80×98).

TAV. LX   MONACI, CANONICI E FRATI DI VENEZIA Venezia, Pinacoteca Querini Stampalia [n. 168]
Assieme (cm. 61×49).

TAV. LXI FRANCESCO GUARDI Venezia, Ca' Rezzonico [n. 177]
Assieme (cm. 132×100).

TAV. LXII   BENEDETTO GANASSONI Venezia, Ca' Rezzonico [n. 206]
Assieme (cm. 42×26).

Il Casotto Del Lione,
Veduto in Venezia
Nel Carnevale Del 28.7.62.
Dipineo del Naturale
Da Pietro Longhi

TAV. LXIII   IL CASOTTO DEL LEONE   Venezia, Pinacoteca Querini Stampalia   [n. 175]
Assieme (cm. 61×50).

TAV. LXIV   LA CIOCCOLATA DEL MATTINO Venezia, Ca' Rezzonico   [n. 219]
Assieme (cm. 60×47).

Analisi
dell'opera pittorica di
Pietro Longhi

Convenzioni e abbreviazioni

Allo scopo di rendere immediatamente palesi gli elementi essenziali di ciascuna opera, l'intestazione di ogni 'scheda' del *Catalogo* (a partire da pag. 84) reca — dopo il numero del dipinto (che segue il più attendibile ordine cronologico, e al quale si fa riferimento ogni qualvolta l'opera venga citata nel corso del volume), dopo il titolo (abbreviato con 'c.s.' quando sia uguale a quello dell'opera precedente) e dopo l'eventuale ubicazione — una serie di abbreviazioni, riferite: alla tecnica; al supporto; alle dimensioni (fornite in centimetri: prima l'altezza poi la base); all'eventuale presenza di firma e/o di data; alla cronologia (a rilevare la cui approssimazione, per difetto o per eccesso, l'anno viene fatto precedere o seguire da un asterisco, mentre due asterischi—uno per lato—indicano approssimazioni non precisabili). Tutti gli elementi forniti registrano l'opinione prevalente nella moderna storiografia d'arte: ogni discordanza di rilievo e ogni ulteriore precisazione vengono dichiarate nel testo.

Tecnica

af: affresco
ol: olio

Supporto

tl: tela
tv: tavola

Dati accessori

d: opera datata
f: opera firmata

Bibliografia essenziale

Manca nella letteratura critica longhiana una vera e propria biografia scritta da un suo contemporaneo, ma valgono a ciò le brevi e pur precise note inserite dal figlio Alessandro nelle sue *Vite dei pittori*, terminate nell'anno 1761 (Venezia 1762). Già in esse si affaccia quello che sarà il *leit-motiv* delle prime fonti longhiane: l'identificazione, cioè, della tematica delle 'conversazioni', i cui vivaci caratteri, "tratti dal naturale, fecero colpo". Analogamente il Longhi è giudicato dagli altri scrittori suoi contemporanei (si veda a pag. 8): Carlo Goldoni, che ne loda "il pennel che cerca il vero" (*Componimenti poetici per le nozze Grimani-Contarini*, Venezia 1750); Gaspare Gozzi, che lo contrappone al decorativismo del Tiepolo come alfiere della "pittura della realtà" ("Gazzetta Veneta" 13 agosto 1760); l'Orlandi-Guarienti, che lo esalta come caricaturista (*Abecedario pittorico*, Venezia 1753). Un atteggiamento forse meno provinciale, e certo più acuto, si nota in alcune fonti straniere, come il Mariette, che, scrivendo prima del 1774, individua l'alta qualità dei disegni del Longhi, che paragona a Watteau (*Abecedario*, Paris 1854); e più tardi i Goncourt preciseranno i collegamenti tecnici con la grafica francese, da Watteau a Lancret, che fanno del Longhi il più singolare disegnatore del Settecento veneziano. Su questa tesi si è molto avanzata la critica più recente, dal Moschini (1956) al Pallucchini (1960) e al Pignatti (1968).

Chiuso il periodo delle fonti, troviamo la prima monografia critica sul Longhi nel 1909, a opera del Ravà (Bergamo 1923[2]): una prima vasta catalogazione delle opere e dei disegni. Successivamente hanno carattere monografico i saggi del Moschini (Milano 1956) e del Valcanover (in "Paragone", 1956). Il primo catalogo ragionato di tutta l'opera dell'artista è di T. Pignatti (Venezia 1968; ed. inglese, London 1969 con bibliografia completa).

FONTI

[A. M. ZANETTI], *Descrizione di tutte le pubbliche pitture della città di Venezia...*, Venezia 1733

P. A. ORLANDI, *Abecedario pittorico*, Venezia 1753

G. GOZZI, "Gazzetta Veneta", 55, 13-VIII-1760

G. GOZZI, *Mio Signore*, "L'Osservatore Veneto", IV, 14-II-1761

A. LONGHI, *Compendio delle vite dei pittori veneziani istorici più rinomati del presente secolo...*, Venezia 1762

L. LANZI, *Storia pittorica dell'Italia*, Bassano 1795

S. TICOZZI, *Dizionario dei pittori...*, I, Milano 1818

G. BOTTARI - S. TICOZZI, *Raccolta delle lettere sulla pittura ed architettura...*, IV, Milano 1822

P. J. MARIETTE, *Abecedario...*, III, Paris 1854-56

V. LAZARI, *Elogio di Pietro Longhi pittore veneziano*, "Atti dell'Imp. R. Accademia di Belle Arti in Venezia dell'anno 1861", 1862

E. e J. DE GONCOURT, *L'Italie d'hier, notes de voyage 1855-1865*, Paris 1894

F. VALCANOVER, *Galleria dell'Accademia di Venezia*, Novara 1955

MONOGRAFIE

A. RAVÀ, *Pietro Longhi*, Bergamo 1909

A. RAVÀ, *Pietro Longhi*, Bergamo 1923

V. MOSCHINI, *Pietro Longhi*, Milano 1956

F. VALCANOVER, *Longhi*, Milano 1964

T. PIGNATTI, *Pietro Longhi*, Venezia 1968

T. PIGNATTI, *Pietro Longhi. Paintings and Drawings*, London 1969

CONTRIBUTI CRITICI

B. BERENSON, *Venetian Painters of the Renaissance*, New York-London 1894 e segg.

A. RAVÀ, *Contributo alla biografia di Pietro Longhi*, "Rassegna Contemporanea" 1911

G. FOGOLARI, *L'Accademia veneziana di Pittura e Scultura nel Settecento*, "L'Arte" 1913

C. GAMBA, *La raccolta Crespi-Morbio*, "Dedalo" 1923-24

E. MODIGLIANI, *Settecento veneziano nelle raccolte private milanesi*, "Strenna dell'Illustrazione Italiana" 1925-26

G. LORENZETTI, *Venezia e il suo estuario*, Venezia-Milano s.d.

G. DAMERINI, *I pittori veneziani del '700*, Bologna 1928

V. MOSCHINI, *Mostra di disegni del Settecento veneziano alle RR. Galleria di Venezia*, "Bollettino d'Arte" 1928

L. BROSCH, *Pietro Longhi*, "Thieme-Becker Allgemeines Lexikon der Bildenden Kunstler", XXIII, Leipzig 1929

G. FIOCCO, *La pittura veneziana del Seicento e Settecento*, Verona 1929

G. DE LOGU, *Pittori veneti minori del Settecento*, Venezia 1930

A. MORASSI, *La raccolta Treccani*, "Dedalo" 1931

V. MOSCHINI, *La pittura italiana del Settecento*, Firenze 1931

V. MOSCHINI, *Per lo studio di Alessandro Longhi*, "L'Arte" 1932

V. MOSCHINI, *Pietro Longhi*, "Enciclopedia Italiana", XXI, Roma 1934

M. GOERING, *Italienische Malerei des 17. und 18. Jahrhunderts*, Berlin 1936

A. MORANDOTTI, *Mostra della Pittura veneziana del Settecento*, Roma 1941

L. LIVAN, *Notizie d'arte tratte dai Notatori e dagli Annali del N. H. Pietro Gradenigo*, Venezia 1942

G. LORENZETTI, *La pittura italiana del Settecento*, Novara 1942

E. ARSLAN, *Di Alessandro e Pietro Longhi*, "Emporium" 1943

E. ARSLAN, *Inediti di Pietro e Alessandro Longhi*, "Emporium" 1946

R. LONGHI, *Viatico per cinque secoli di pittura veneziana*, Firenze 1946

G. DE LOGU, *Disegni veneziani del Settecento*, Milano-Zurigo 1947

A. BLUNT, *Dipinti veneziani del XVII e XVIII secolo nelle Collezioni Reali d'Inghilterra*, "Arte Veneta" 1948

F. VALCANOVER, *Postilla su Pietro Longhi 'pittore di storia'*, "Arte Veneta" 1951

R. LONGHI, *Pittura e teatro nel Settecento italiano*, in R. BACCHELLI - R. LONGHI, *Teatro e immagini del Settecento italiano*, Torino 1953

G. TESTORI, *Il Ghislandi, il Ceruti e i Veneti*, "Paragone" 1954, n. 57

F. VALCANOVER, *Un nuovo ritratto di Alessandro Longhi*, "Archivio Storico di Belluno Feltre e Cadore" 1954

M. VALSECCHI, *La pittura veneziana*, Milano 1954

G. FIOCCO, *Una pittura di Pietro Longhi*, "Arte Veneta" 1956

F. VALCANOVER, *Affreschi sconosciuti di Pietro Longhi*, "Paragone" 1956

G. DE LOGU, *Pittura veneziana dal XIV al XVIII secolo*, Bergamo 1958

V. MOSCHINI, *Un altro Pietro Longhi*, "Arte Veneta" 1958

F. VALCANOVER, *Pietro Longhi*, "Enciclopedia Universale dell'Arte", VIII, Venezia-Roma 1958

M. LEVEY, *Painting in XVIII Century Venice*, London 1959

A. RICCOBONI, *Ritratti e figure di Pietro Longhi*, "Emporium" 1959

R. PALLUCCHINI, *La pittura veneziana del Settecento*, Venezia-Roma 1960

T. PIGNATTI, *Il Museo Correr di Venezia. Dipinti del XVII e XVIII secolo*, Venezia 1960

A. RIZZI, *Quattro Pietro Longhi e un Tiepolo*, "Emporium" 1962

F. HASKELL, *Patrons and Painters*, London 1963

E. MARTINI, *La pittura veneziana del Settecento*, Venezia 1964

T. PIGNATTI, *I disegni veneziani del Settecento*, Roma 1965

J. CAILLEUX, *Les Guardi et Pietro Longhi*, "Problemi Guardeschi", Venezia 1967

T. PIGNATTI, *Les Dessins de Pietro Longhi*, "L'Oeil" 1968

V. MOSCHINI, *Terisio Pignatti-Pietro Longhi*, "Ateneo Veneto" 1968

F. VALCANOVER, *Il Catalogo ragionato delle opere di Pietro Longhi*, "Arte Veneta" 1968

J. CAILLEUX, *The Art of Pietro Longhi*, "The Burlington Magazine" 1969

M. LEVEY, *Terisio Pignatti-Longhi*, "The Art Bulletin" 1970

L. MUCCHI - U. TOLOMEI, *Alla ricerca di Pietro Longhi*, Milano 1970

G. FIOCCO, *Primizie di Pietro Longhi*, "Pantheon" 1971

G. FIOCCO, *Il periodo bolognese di Pietro Longhi*, "Arte Illustrata" 1971

T. PIGNATTI, *Aggiunte per Pietro Longhi*, "Arte Illustrata" 1972

T. PIGNATTI, *La caccia in valle di Pietro Longhi incisa da Marco Pitteri*, Venezia 1973

CATALOGHI DI ESPOSIZIONI

Mostra del ritratto italiano, Firenze 1911

Il ritratto italiano dal Caravaggio al Tiepolo, Bergamo 1927

Il Settecento italiano, Venezia 1929

G. LORENZETTI, *Ca' Rezzonico*, Venezia 1936

E. P. RICHARDSON, *Venice 1700-1800*, Detroit 1952

A. RIZZI, *Mostra della pittura veneta del Settecento in Friuli*, Udine 1966

Documentazione sull'uomo e l'artista

1702. Nasce a Venezia Pietro Falca (cognome in seguito sostituito da Longhi; non è nota l'origine di tale soprannome), figlio di Alessandro, argentiere. Tale data appare indicata nella biografia dell'artista redatta dal figlio Alessandro Longhi, ma contrasta con la documentazione relativa alla morte dello stesso (si veda al *1785*) che imporrebbe come anno di nascita il 1700.

1732. Con il nome di Pietro Longhi, l'artista risulta citato in un pagamento dell'8 luglio a Francesco Camozzi, stuccatore, in qualità di autore della pala nella chiesa parrocchiale di San Pellegrino (*Catalogo*, n. 1). Il 27 settembre si unisce in matrimonio a Caterina Maria Rizzi, nella chiesa veneziana di San Pantalon; testimoni, il chierico Antonio Pasinetti e certo Gasparo Ganardina Corner di Roma.

1733. Il 12 giugno, nasce il primogenito Alessandro, battezzato il 10 luglio nella chiesa di San Zulian. Un'opera dell'artista, l'*Adorazione dei Magi* (*Catalogo*, n. 2) è menzionata dallo Zanetti in Santa Maria Materdomini.

1733 c. (?). Potrebbe aver avuto luogo in tale anno l'ipotetico viaggio del Longhi in Emilia (si veda *Catalogo*, n. 1 e 3).

1734. Data l'affresco dello scalone di Ca' Sagredo a Venezia (*Catalogo*, n. 7).

1737. Risulta iscritto per la prima volta alla Fraglia dei pit-

Particolare del Caffè (Catalogo, n. 142) con autoritratto dell'artista, identificabile nel personaggio in secondo piano a sinistra, effigiato nell'atto di disegnare.

tori di Venezia; continua a farne parte fino al 1773.

1740. Alloggia presso Leonardo Emo, nella parrocchia di San Pantalon (l'edificio corrisponderebbe agli attuali n. 3800-3802), dove rimane fino alla morte.

1741. Data il *Concertino* delle Gallerie dell'Accademia a Venezia (*Catalogo*, n. 23).

1744. Data il *Risveglio* di Windsor (*Catalogo*, n. 38).

1745. Il 25 marzo ha luogo l'inaugurazione della cappella dedicata alla Madonna di Loreto in San Pantalon, evidentemente compiuta anche per quanto riguarda la decorazione a fresco eseguita dal Longhi (*Catalogo*, n. 42).

Firma di Pietro Longhi quale appare nel ritratto di Francesco Guardi (Catalogo, n. 177).

1746. Data la *Visita* del Metropolitan di New York (*Catalogo*, n. 43).

1748. Da una lettera dell'artista datata 7 dicembre e indirizzata allo stampatore G. B. Remondini di Bassano, risulta in via d'esecuzione una stampa tratta dalla *Villeggiatura della dama* (*Catalogo*, n. 266) a opera del Faldoni.

1749. Un'altra lettera al Remondini, del 13 maggio, concerne l'incisione della *Visita al Lord* (si veda *Catalogo*, n. 45); dalla stessa risulta l'avvenuta spedizione, a Dresda, di un dipinto raffigurante una *Mascherata* (n. 51).

1750. In occasione delle nozze Grimani-Contarini, Carlo Goldoni dedica al Longhi un sonetto elogiativo.

1751. In data 10 aprile, Pietro Longhi scrive a Remondini in merito a una partita di vino che doveva essergli consegnata presso casa Grimani. Una lettera del 23 aprile al medesimo destinatario concerne incisioni di vari dipinti, fra i quali, verosimilmente '*Baùte*' *al caffè* e altri temi non precisati. In una terza lettera, dell'8 maggio, è citata un'incisione di Wagner. L'artista data il *Rinoceronte* di Ca' Rezzonico (*Catalogo*, n. 78).

1752. In una lettera del 5 dicembre al Remondini, lamenta la cattiva esecuzione di quattro stampe, tratte dai suoi dipinti.

1753. Altra lettera al Remondini (12 gennaio), in cui dichiara di aver da lui ricevuto dodici stampe, due delle quali destinate a Cecilia Morosini, proprietaria dell'originale della *Bottega del caffè* (*Catalogo*, n. 90).
L'edizione dell'*Abecedario pittorico* dell'Orlandi stampata a Venezia registra la prima biografia di P. Longhi.

1755. La dedica del decimo volume dell'opera del Goldoni (ed. Paperini, Firenze) cita come in via d'esecuzione le incisioni del Pitteri dai *Sacramenti* (*Catalogo*, n. 93-99).

1756. Seconda data dell'*Indovina* di Londra (si veda *Catalogo*, n. 117).
Il 31 dicembre, il comitato presieduto da Giambattista Tiepolo accoglie il Longhi a far parte dell'Accademia, dove l'artista insegna, sia pur non continuativamente, fino al 1780.

1757. Data il *Ciarlatano* a Ca' Rezzonico (*Catalogo*, n. 121).

1759. Data il *Cavadenti* già in collezione Ravà (*Catalogo*, n. 126).

1760. Il nome di Pietro Longhi appare fra quanti sottoscrissero gli *Studi di pittura* del Piazzetta. Citato da Gaspare Gozzi ("Gazzetta Veneta" 13 agosto), che lo confronta a Giambattista Tiepolo, e dal Gradenigo (*Notatori*, 3 settembre) che lo definisce "pittore per attitudini naturali, e parlanti caricature".

1761. Data i *Monaci* della Pinacoteca Querini Stampalia (*Catalogo*, n. 168). Il figlio Alessandro si dedica alla stesura della biografia dell'artista, che verrà pubblicata l'anno successivo. Nuova citazione elogiativa del Gozzi ("Osservatore Veneto" 14 febbraio).

1762. L'artista, per esaudire la richiesta dell'Accademia di un suo dipinto, esegue forse (Fogolari, 1913) il *Pitagora* (*Catalogo*, n. 172). Redige successivamente a completamento dell'opera del Piazzetta e di Giambattista Tiepolo, l'inventario e la stima dei beni dell'eredità Sagredo a Venezia. Data il *Casotto del leone* della Pinacoteca Querini Stampalia (n. 175).

1763. È chiamato a dirigere l'"Accademia di disegno ed intaglio" istituita dalla famiglia Pisani per il giovane Almorò e sciolta alla morte di questo, nel 1766.

1764. Data i ritratti di Francesco Guardi (*Catalogo*, n. 177) e del *Procuratore Ludovico Manin* (n. 179). Lo stesso ritratto del Manin viene citato dal Gradenigo (*Notatori*, 30 aprile).

1772. Data i ritratti di *Matilde Querini da Ponte* (*Catalogo*, n. 200), *Stefano Querini* (n. 201), *Marina Querini Benzon* (n. 202).

1774. Data l'*Elefante* (*Catalogo*, n. 205) e il *Vescovo Ganassoni* (n. 206).

1775. Data i *Contadini che giocano* di Ferrara (*Catalogo*, n. 210).

1777. Un dipinto dell'artista raffigurante la *Confessione*, viene esposto in piazza San Marco in occasione della fiera del-

Tre incisioni di presunti autoritratti perduti; (dall'alto): la prima (Catalogo, n. 261) di G. Cattini, situabile nel decennio 1740-50; la seconda (n. 262) eseguita dal figlio dell'artista, Alessandro, per il Compendio (1761); l'ultima (n. 263) di anonimo, datata 1766, ritrae Pietro Longhi in veste di accademico.

l'Ascensione, nel mese di maggio (Fogolari, 1913).

1779. Pietro Longhi partecipa all'elezione ad accademico di Antonio Canova, che ha luogo il 5 aprile. Data la *Filatrice* già della collezione Fornoni Bisacco (*Catalogo*, n. 221), per quanto si può dedurre dall'incerta lettura della scritta, gli *Alchimisti* della Gazzada (*Catalogo*, n. 220) e il ritratto di *Adriana Giustinian Barbarigo* (n. 232).

1781. Data il *Pittore* di Ca' Rezzonico (*Catalogo*, n. 231).

1785, 8 MAGGIO. Pietro Longhi, all'età di 85 anni, muore dopo una malattia durata dieci giorni, "da mal di petto" come indica l'atto di morte conservato nell'archivio di San Pantalon.

Catalogo delle opere

Elenco cronologico dei dipinti di Pietro Longhi

Pietro Longhi non fu un genio precoce. Era già sui trent'anni, probabilmente, quando dipinse la macchinosa pala di San Pellegrino (n. 1), unica rimastaci di tutta una prima attività dedicata interamente al genere 'storico'. Nemmeno l'affresco con i *Giganti* di Ca' Sagredo a Venezia (1734, n. 7) fa rimpiangere che il Longhi non abbia continuato le opere di 'figura'. Un viaggio a Bologna, certo conchiuso prima del 1734, aveva portato il Longhi a contatto con la grande pittura decorativa, ma fortunatamente gli aveva rivelato soprattutto quegli aspetti 'minori' dell'arte di Giuseppe Maria Crespi. In questi anni, l'anziano maestro bolognese si era soprattutto dedicato — come il Gamberini — al 'genere popolare' e al ritratto. Esiste dunque un parallelo preciso fra le scenette del Crespi e le prime pitture di genere popolare o di soggetti familiari del Longhi, che si possono far cominciare verso il '40. Ne sono esempio le 'scene contadinesche' di Ca' Rezzonico (n. 13-16).

Sul 1741, il Longhi dipinge la serie di capolavori delle Gallerie di Venezia: il *Concertino*, la *Lezione di ballo*, il *Sarto*, la *Toeletta* (n. 23-26). È il suo momento narrativo, che lascia infatti pensare — se mai vi fu — a una probabile diretta influenza di soggetti francesi. Più volte, in critici recenti hanno spinto gli sguardi oltre i confini, suggerendo che il Longhi fosse venuto a conoscenza di opere olandesi e fiamminghe (Cornelisz, Troost), o inglesi (Hogarth, Highmore, Hayman); insieme, si è sospettata un'esperienza (attraverso le stampe) di pitture e disegni francesi, di Watteau e dei suoi successori. Ultimamente abbiamo insistito sul probabile tramite offerto dal francese Joseph Flipart, presente a Venezia dal 1737 al '50, e incisore di varie opere del Longhi. Pare insomma evidente che le *Conversazioni* di Pietro Longhi non siano che la versione in lingua veneta delle *conversation pieces* inglesi venute di moda tra il 1720 e il 1730, o dei soggetti galanti francesi, fioriti attorno a Watteau. Anche qui, le date vanno cercate fra il terzo e il quarto decennio, ed è molto verosimile che il Longhi abbia visto incisioni di Watteau, e magari tutta la raccolta delle sue opere incise, stampata appunto in quegli anni a Parigi da Jullienne. Che Flipart, attivo negli *ateliers* parigini anche come incisore di Chardin, arrivasse a Venezia nel 1737 senza portare con sé quella monumentale raccolta di tutto il primo *rocaille* francese, sarebbe da non credere. Così pure, non sarà forse mancato qualche disegno originale di Watteau, di Lancret, di Pater, di Bernard Lépicié e dello stesso Chardin, frammezzo alle pagine dell'*Oeuvre gravé*, su cui il Longhi poté scoprire una nuova linguistica grafica. Il tratto lungo e marcato del Longhi, infatti, il lumeggiare a gessetto sulle carte scure, mostrano di essere al corrente piuttosto del segno dei francesi, che non dei veneti contemporanei.

I disegni del Longhi si staccano dunque dai modi più affermati a Venezia nel suo tempo: ciò appare chiaro osservandone gli esemplari più tipici, conservati al Museo Correr di Venezia e al Kupferstichkabinett di Berlino. La tecnica è originale, a carboncino o a matita tenera rialzata a gessetto bianco, cui dà contrasto l'uso di carte brune o grigio azzurre. Il segno è spezzato, ma molto veloce nel delineare le figure, con una precisione analitica che spesso si aiuta anche con annotazioni sui colori e luci. I tratti di gessetto bianco, che animano queste strutture lineari, creano una dosata ricerca di luci; mentre spesso una sfumatura del tutto simile a quella ottenuta con i pastelli suggerisce la rotondità plastica. Ne risulta uno stile 'staccato', di singolare immediatezza, realistico e suggestivo a un tempo, che rievoca la quieta intimità dell'ambiente.

Oltre all'influenza francese, non era peraltro mancato al Longhi qualche autorevole suggerimento anche a Venezia. Ci sembra che questo gli sia potuto venire soprattutto da un'artista che già si era dimostrata assai congeniale allo spirito e allo stile dei francesi: Rosalba Carriera. Anche la grande pastellista veneziana, infatti, conosceva la scuola parigina, da quando, nel 1720-21, vi aveva trionfato fino a diventare intima dello stesso Watteau. Entrambi, poi, Rosalba e il Longhi, erano mossi dallo stesso animo nel cercare il vero, e guardavano ai loro personaggi "con occhi propri". Ma è soprattutto sul piano del colore che tale consonanza spirituale dovette prender corpo nel Longhi, forse aiutandolo a liberarsi da certe pesantezze e oscurità di tocchi cromatici tipicamente crespiani, alleggerendo il mezzo espressivo fino a una più raffinata stesura tonale.

Accanto a Rosalba, un altro artista veneziano può essere indicato per identificare le predilezioni longhiane verso il 1740: Jacopo Amigoni. Ne sono prova quel colpeggiare sottile del pennello, quell'uso discreto delle ombre colorate e dei toni morbidi, pastellosi, impreziositi o leziosi talora stanchi, che subito appaiono nel Longhi del *Concertino* o delle altre pitture coeve delle Gallerie, fino alla scintillante *Presentazione* del Louvre (n. 27), che porta comunque il segno, nella composizione, dei suggerimenti parigini.

Non si può dire che nel decennio 1741-50, il percorso del Longhi sia rettilineo e conseguente a queste premesse. Vi coesistono infatti le due tendenze iniziali: quella crespiana, più portata al tocco o ai luminismi bolognesi, e quella — diciamo così — rosalbiana, che ricerca gli effetti tonali più delicati con l'avvicinamento dei colori, dosati a sottilissimi tocchi di pennello, in una tipica stesura filiforme, a macchioline e improvvise luminescenze, su gamme per lo più chiare e di altissima trasparenza. Anche gli affreschi della cappella di Loreto (1745 c., n. 42) in San Pantalon a Venezia confermano le preferenze del Longhi verso la pittura chiara e luminosa di Rosalba e dell'Amigoni. Si può dunque concludere che Pietro Longhi, alla fine del periodo di formazione, si riscatta interamente dalla 'maniera storica' del Balestra e dal crepuscolare luminismo del Crespi per avvicinarsi alla corrente più viva del rococò veneziano, dell'ultimo Ricci, del Pellegrini, di Rosalba e di Giannantonio Guardi.

Ciò che sorprende nel Longhi è che, raggiunto un equilibrio in tale situazione culturale, la sua condizione espressiva pare non voglia più mutare per tutta la lunga attività, che comprende di qui innanzi ancora trent'anni di produzione. Non si nega l'inevitabile evoluzione, che passa dalla maniera più pensosa degli anni Cinquanta, fino alle forme più ingenue della vecchiaia, sensibili anche a una certa essenzialità borghese, còlta dalla ritrattistica di Alessandro. Ma dobbiamo riconoscere a Pietro Longhi una singolare costanza, sul piano dello stile figurativo, facile talvolta a ritorni, con repliche e varianti poco difformi, magari a distanza di decenni.

Va considerato, a questo proposito, che molta dell'attività del Longhi, nel suo periodo centrale, è condizionata dalla tematica, espressa nelle forme tipiche delle pitture a serie, le cosiddette 'carriere'. In un primo tempo, veri e propri argomenti a tesi, con intenzioni moraleggianti o satiriche, compaiono nel Longhi del *Concertino* o delle altre pitture coeve delle Gallerie, fino alla scintillante *Presentazione* di rado. Di fatto, essi sembrano concentrarsi nel decennio 1750-60: cioè quando l'influsso delle idee di Rousseau, assieme al polemico rinnovamento della commedia di Goldoni e a certi *pamphlets* di Gaspare Gozzi giustificheranno una maggiore presa sociale. Ma è difficile, per il Longhi, andare più in là di una bonaria ironia, sempre sostanzialmente codina. Il concentrarsi del Longhi sulle 'carriere' ne rese poi sempre più acuto e immediato lo spirito di osservazione della realtà, e lo avviò verso il vero e proprio ritratto, che egli intese sia come rappresentazione di fatti di cronaca, sia come raffigurazione di persone. Basterà ricordare dipinti come il famoso *Rinoceronte* (n. 78), eseguito per conto del patrizio Giovanni Grimani dei Servi, circondato evidentemente dalle effigi dei committenti. Né certamente sono lontani da quegli anni i *Gruppi di famiglia* della Querini e di Ca' Rezzonico (n. 84 e 85). Vi circola un'atmosfera quasi rarefatta, che esalta gli atteggiamenti spesso imbambolati dei personaggi, i quali, nei loro gesti abituali e nei loro pensieri rilassati certo non mostrano di porsi soverchi problemi. Anzi, la lieve ironia offre una via d'uscita a una specie di resistenza del Longhi a rappresentare drammaticamente.

Verso la fine del sesto decennio, potremmo addirittura pensare che prenda inizio un 'secondo tempo' longhiano, in cui il tono si scurisce, affiora l'imprimitura brunastra, mentre il disegno stesso tende a farsi più rapido e approssimativo. Quale sia stata la causa di questa variazione linguistica — peraltro contenuta in limiti modesti, quasi piuttosto sul piano tecnico che veramente dello stile — possiamo solo ipotizzarlo, pensando alla scomparsa dei primi diretti ispiratori, quali Rosalba e l'Amigoni, e al sopravvenire di una maggiore influenza di modi 'rembrandtiani', per mezzo di ritrattisti come il Nazzari, o pastellisti come il Nogari: una moda che giungerà più tardi, col Novelli, a esplicite imitazioni.

In questo periodo Pietro Longhi riprende spesso la produzione per serie. Ci dà così la 'carriera' dei *Ciarlatani, Indovini, Chiromanti, Venditrici di essenze, Cantastorie* del 'mondo novo' (si veda al n. 118). Anche le maschere costituiscono uno dei temi caratteristici degli anni a cavallo tra il sesto e il settimo decennio. Le troviamo nei numerosi *Ridotti* (Salom, n. 128; Querini, n. 129; Accademia Carrara, n. 131), nelle *Passeggiate* in Piazza e in Piazzetta (Querini, n. 118; Ca' Rezzonico, n. 119), persino nelle *Visite familiari* (Ca' Rezzonico, n. 153). Né occorre sottolineare quanto il tema dovesse riuscir congeniale alla musa intimistica e sorridente del Longhi: ancor più che nei piccoli ritratti di costume e di ambiente, egli sembra infatti trovare, nella fantomatica presenza degli individui mascherati, un motivo di intensa espressione pittorica, giocando sui bianchi vaporosi dei merletti e sui neri suggestivi dei mantelli.

Cade sullo scorcio del sesto decennio anche una limitata ripresa ritrattistica, che evidentemente viene prolungandosi a intervalli durante tutta la vita del pittore.

La fase declinante del Longhi la si fa generalmente iniziare con le opere datate 1761, come i *Monaci* Querini (n. 168), o 1762 come il *Casotto del leone* della stessa galleria (n. 175): pitture smorzate di colore, frammentate nel segno, piuttosto annebbiate di tonalità. Ma si tratta forse di giudizi parziali: non dimentichiamo infatti che più o meno in quell'epoca stesso nasce proprio la *Caccia in valle* (n. 188-194), vero capolavoro nel vivissimo racconto di costume, che rievoca un'atmosfera reale, madida di umidità e di nebbie lagunari, resa indimenticabile dai numerosi, penetranti ritratti. E, d'altronde, infittiscono appunto i dipinti che ricordano personaggi 'al naturale', negli anni fra il 1764 e il '72, tutti di toccante verità, e mai privi di quella punta di *humour* che ha sempre caratterizzato le 'conversazioni' longhiane. Non pare dubbio, comunque, che l'attività di ritrattista si sia fatta negli anni tardi più importante. Essa corrisponde alla mutata situazione culturale del pittore, ma riflette d'altra parte anche la realtà del mercato artistico. Morti Rosalba e il Nazzari, vecchi i Nogari, l'Uberti e il Pasquetti, la carica di ritrattisti della "Veneta Nobiltà" sta passando in famiglia Longhi, dove anche Alessandro si presenta ormai come una firma di successo.

Si è detto spesso che tale produzione tarda, databile dopo il 1770, scende a livello di modesti *ex voto*: ma ci pare che un tale giudizio faccia eccessivo torto al nostro pittore.

Non neghiamo che l'*Elefante Salom* (1774, n. 205) e altri quadretti di curiosità da baraccone (peraltro di non accertata autografia) siano pittoricamente poveri, di fronte — per esempio — al *Rinoceronte* di Ca' Rezzonico (n. 78), di vent'anni prima! Ma non sono pur questi anche gli anni degli *Avvocati* (n. 225), del *Caffè* (n. 227), o della *Cioccolata del mattino* di Ca' Rezzonico (n. 219)? Autentici capolavori, che portano alla ribalta personaggi ormai quasi borghesi, a prova delle scadute fortune della Serenissima Repubblica di San Marco.

Frattanto l'avviamento di Pietro Longhi al figlio Alessandro, il più famoso ritrattista veneziano, si fa evidente fino al punto che di qualche personaggio, come il *Vescovo Ganassoni*, troviamo la versione minore dipinta dal padre (Ca' Rezzonico, n. 206) e la redazione in grande per mano del figlio (Feltre, Seminario). A noi sembra possibile, dunque, che Pietro, ormai più che settantenne, si venisse adattando ai modi ritrattistici 'borghesi' del figlio, fino a ricopiarne una composizione, forse per memoria o per commissione di collezionisti.

È così che in codesti ritratti dell'ultima maniera 'borghese' di Pietro Longhi si ravvisa una insistenza grafica sui dettagli tipologici, un ripassare del pennello sui profili e sui drappeggi, che svuotano in parte il piacevole contenuto cromatico cui l'artista ci aveva abituato nel suo periodo migliore. Alle calibrate dosature di tinte, sfumate e accostate sulla base di tonalità trasparenti con prevalenza di colori teneri, velati come pastelli, viene ora a sostituirsi una certa crudezza di chiaroscuro, un segno grafico più trito e monotono. La pasta cromatica si assottiglia al punto che molte pitture comprese nell'ottavo decennio mostrano la grana della tela e il fondo dell'imprimitura brunastra. Non si tratta peraltro di una 'decadenza' di carattere fisico, come la critica a volte ha voluto suggerire; né ci pare che la definizione di *ex voto* sia confacente a tale produzione. I

1

Gruppi di famiglia Morandotti (n. 214), Crespi (n. 216) e già Stramezzi (n. 231), gli *Avvocati* (n. 225) e i *Letterati* (n. 218), la *Barbarigo Giustinian* (n. 232), il *Ritratto di Piero Rinaldi* (n. 245), che raggiunge l'80, vanno letti neǁa loro particolare atmosfera svagata e rarefatta, come se l'artista deliberatamente volesse rinunciare alle lusinghe di un colore ormai fuori moda, in pieno neoclassicismo, per insistere su valori umani che maggiormente lo commuovono.

1. SAN PELLEGRINO CONDANNATO AL SUPPLIZIO. San Pellegrino, chiesa parrocchiale

ol/tl 400×340 *1730*

Ricordata nei registri della scuola del Ss. Sacramento, che nel 1732 riportano il pagamento a Francesco Camozzi per gli stucchi dell'altare relativo (Galizzi, *Le chiese di S. Pellegrino*, 1942). Sono evidenti, oltre ai legami con il Balestra per ciò che riguarda l'anatomia delle figure e la composizione,

richiami al Ricci e al Tiepolo: caratteristiche proprie del Longhi trentenne, giovane ma già noto pittore. Valcanover (1951), notando l'assenza di qualunque influsso bolognese, suppone che si debba perciò collocare il viaggio a Bologna del Longhi tra il 1732 (data in cui l'opera in esame è sicuramente compiuta) e il 1734 (anno in cui vengono terminati gli affreschi Sagredo [n. 7] che da influssi bolognesi sarebbero invece fortemente caratterizzati).

2. L'ADORAZIONE DEI MAGI Venezia, Scuola di San Giovanni Evangelista

ol/tl 190×150 c. *1730*

Si tratta forse della tela di ugual tema ricordata dallo Zanetti (1733) nella cappella dell'altar maggiore della chiesa veneziana di S. Maria Materdomini, di cui si perdono le tracce dopo il 1819; al Martini (1964), cui si deve il ritrovamento del dipinto in esame, non è tuttavia certo dell'identificazione. Vicina per stile e per datazione al *San Pellegrino* (n. 1), presenta tuttavia, sempre secondo Martini, un carattere già tipicamente longhiano nella figura del paggetto, direttamente imparentato con il *Pastorello seduto* e il *Pastorello in piedi* di Bassano (n. 8 e 9).

3. SAN GIOVANNI BATTISTA

1733

Noto solo per la segnalazione dello Zanetti (1733) insieme con due piccole tele di soggetto ignoto, in Santa Maria delle Grazie a Venezia.

4. LA MOLTIPLICAZIONE DEI PANI E DEI PESCI

1733

2

Segnalato dallo Zanetti (1733) nella scuola di San Pasquale Baylon insieme con i n. 5 e 6. Mancano ulteriori notizie.

5. LA CANANEA

1733

Si veda al n. 4.

6. IL CENTURIONE

1733

Si veda al n. 4.

7. LA CADUTA DEI GIGANTI. Venezia, Ca' Sagredo

af f d 1734

Occupa il soffitto (foto 7 a) e le pareti laterali (foto 7 b e 7 c) dello scalone principale del palazzo; fu terminata nel 1734, come testimonia la scritta apposta alla base degli affreschi. La data dell'inizio dei lavori potrebbe però essere il 1732, anno in cui, a settembre, il Longhi si trovava ancora a Venezia (si veda *Documentazione*). Il Valcanover scorge qui fortissimi influssi bolognesi (si veda anche al n. 1). Secondo il Pallucchini (1960) più che alla pittura bolognese il Longhi guardò in questo caso al Dorigny.

Un disegno con lo studio di un particolare è conservato presso il Museo Correr, (n. 514; foto 7[1]).

ol/tl 61×48 *1740*

Da accostare, per il tema e lo stile, agli altri tre *Pastorelli* dello stesso museo (n. 9-11) e a quello di Rovigo (n. 12). Già attribuito al Crespi, è stato giustamente assegnato dal Pallucchini (1960) al primo periodo del Longhi, che del Crespi ri-

sente nella pennellata e nel tono tendente al bruno.

Un disegno preparatorio, con forti ombreggiature, si trova al Museo Correr di Venezia (n. 515; foto 8[1]).

9. PASTORELLO IN PIEDI. Bassano, Museo Civico

ol/tl 61×48 *1740*

Si veda al n. 8, di cui condivide le vicende critiche.

10. PASTORELLA CON FIORE. Bassano, Museo Civico

ol/tl 61×48 *1740*

Si veda al n. 8, di cui condivide le vicende critiche.

Si conservano disegni preparatori a Venezia, nel Museo Correr (n. 511, foto 10[1]), e presso la collezione Koenig-Fachsenfeld ad Aalen (Württemberg).

11. PASTORELLA CON GALLO. Bassano, Museo Civico

ol/tl 61×48 *1740*

Si veda al n. 8, di cui condivide le vicende critiche.

7[1]

8. PASTORELLO SEDUTO. Bassano, Museo Civico

7 a

7 b

7 c

85

8 8¹ 9 [Tav. I] 11 [Tav. II] 12

86

10 10¹ 13 13¹ 14 [Tav. III]

15 [Tav. IV] 16 [Tav. V] 17 18 19

20 21 22 22¹

12. PASTORELLO IN PIEDI. Rovigo, Museo del Seminario

ol/tl 60,7×45,4 *1740*

Si veda il n. 8, di cui condivide le vicende critiche.

13. LA FILATRICE. Venezia, Ca' Rezzonico (n. 1308)

ol/tl 61×50 *1740*

Fa gruppo con i n. 14-16, anch'essi illustranti episodi di 'vita dei contadini', insieme con i quali faceva parte della collezione Gambara di Venezia (per gli altri dipinti di analogo tema e di uguale provenienza, ora a Zoppola, si vedano i n. 56-59). Si tratta di soggetti di genere ispirati alla tradizione bolognese, in cui ambienti e personaggi 'popolari' vengono variamente composti in figurazioni ricche di garbata ironia e di senso della realtà. La datazione, per i quattro dipinti, è probabilmente da porre (come fa l'Arslan, 1943) verso il 1740; altri studiosi, tra i quali il Moschini (1956), riten-

gono opportuno ritardarla anche notevolmente.

Esiste un disegno preparatorio (foto 13¹) con il particolare del suonatore di mandolino, conservato al Museo Correr (n. 557); i caratteri stilistici inducono ad anticiparne la datazione, tradizionalmente posta nel decennio 1760-70, al primo periodo di attività del Longhi: viene così confermata la datazione giovanile del dipinto (Valcanover, 1956).

14. LE LAVANDAIE. Venezia. Ca' Rezzonico (n. 1306)

ol/tv 61×50 f *1740*

Si veda, per le vicende storicocritiche, al n. 13. Restano sconosciute le ragioni per cui, unica opera del gruppo, fu dipinta su tavola.

Ne esiste una copia non firmata al Museo di Padova.

15. L'ALLEGRA COPPIA. Venezia, Ca' Rezzonico (n. 1307)

ol/tl 61×50 *1740*

Si veda al n. 13.

16. LA POLENTA. Venezia, Ca' Rezzonico (n. 1305)

ol/tl 61×50 *1740*

Si veda al n. 13.

17. LA FILATRICE. Milano, propr. priv.

ol/tl 62×50 *1740*

Già nella collezione Schaeffer di New York, passò in seguito a Torino in proprietà Stanglino. La figura della contadina in primo piano sarà ripresa nella *Polenta* di Zoppola (n. 57).

18. BALLO DI CONTADINI. Ferrara, Paulucci

ol/tl 61×49,5 1740-45

Già a Venezia nella collezione Gatti-Casazza insieme ai n. 19 e 20. Il Valcanover (1958) data i tre dipinti attorno al 1775, ma essi appartengono verosimilmente alla fase giovanile dell'attività dell'artista.

19. CONTADINA E SUONATORE. Ferrara, Paulucci

ol/tl 61×49 1740-45

Si veda al n. 18.

20. CONTADINA E BEVITORE. Ferrara, Paulucci

ol/tl 61×49,5 1740-45

Si veda al n. 18.

21. I BEVITORI. Milano, Galleria d'Arte Moderna

ol/tl 61×48 1740-45

Già nella collezione Papadopoli di Venezia, passò quindi a Milano in proprietà Grassi. In base ai caratteri stilistici è possibile datarlo nella fase di evoluzione verso il periodo maturo.

22. L'UBRIACO. Biella, propr. priv.

ol/tl 53×71 f 1740-45

Già a Venezia nella collezione Brass. Il Pallucchini (1960) pone la datazione verso il 1740, anche in base alle caratteristiche fiammingheggianti che si possono osservare nel dipinto; esso va comunque datato nel periodo iniziale dell'attività del Longhi: si vedano, per le affinità stilistiche, i n. 18-20.

Un disegno preparatorio con due particolari (foto 22¹) è conservato al Museo Correr di Venezia (n. 502 v).

23. IL CONCERTINO. Venezia, Gallerie dell'Accademia (n. 466)

ol/tl 60×48 f d 1741

Già a Venezia in proprietà Contarini. La datazione permette di misurare i risultati raggiunti dal Longhi all'inizio del quinto decennio del secolo: caduto ogni influsso bolognese, la sua pittura acquista autonomia nella descrizione dei particolari minuti e nel cromatismo vivace, mentre la composizione, che sfrutta lo spazio in profondità, rivela l'attenzione per gli illustratori francesi.

Siamo veramente perplessi nel leggere, nel recente volume tecnico di L. Mucchi e U. Tolomei (*Alla ricerca di Pietro Longhi*, Milano 1970), che il *Concertino*, pur firmato e datato, secondo il responso radiologico non dovrebbe appartenere al Longhi, come anche il *Sarto* pure all'Accademia (n. 25), lo *Studio del pittore, Gu-*

glielmo di Monfort, il *Vescovo Ganassoni* di Ca' Rezzonico (n. 34, 105, 206), la *Visita alla biblioteca* di Worcester (n. 28), e altri noti dipinti. Come si legge in quel volume, gli autori hanno sottoposto a radiografia ottantuno dipinti longhiani, classificandoli poi in cinque gruppi, di cui il 4° e 5° appaiono radiologicamente "inconsistenti" rispetto ai primi tre. Fortunatamente, i raggi X hanno dato responsi non troppo dissimili dalle opinioni critiche correnti per i primi tre gruppi. Fanno eccezione i due ultimi, dei quali il 5° raggrupperebbe radiologicamente, secondo gli autori, dipinti decisamente non del Longhi — come l'*Egerton del Nazzari* (n. 322) — con altri — quale appunto il *Concertino* — che non vediamo come possano essergli tolti, in quanto del tutto eguali, stilisticamente, a numerosi altri che gli stessi autori accettano come tali. Che la radiografia, rivelando soprattutto lo stato del bianco nella preparazione sottostante, possa giocare tiri imprevedibili, è dunque evidente: sicché resta al critico — come d'altronde Mucchi e Tolomei onestamente riconoscono — la responsabilità finale dell'attribuzione.

24. LA LEZIONE DI DANZA. Venezia, Gallerie dell'Accademia (n. 465)

ol/tl 60×49 1741*

Già nella collezione Contarini a Venezia. Si crede generalmente che derivi dal dipinto di uguale tema conservato nell'Alte Pinakothek di Monaco di Baviera (olio su tela, 98,5×81) at-

tribuito a G. M. Crespi; solo Cailleux (1967), che assegna il quadro di Monaco a Gianantonio Guardi, lo considera derivato dall'opera in esame. In ogni caso, l'autonomia della pittura del Longhi è qui provata, oltre che dalle differenti proporzioni dei personaggi, dal personalissimo uso del colore.

Valcanover (1956) segnala un disegno preparatorio parziale (foto 24[1]) conservato al Museo Correr (n. 542). Inciso da Flipart in senso inverso (tranne che per la figura del violinista) e da Hayd nello stesso verso del dipinto (ma con il violinista rovesciato, il che prova la derivazione non direttamente dall'originale ma da Flipart). Cailleux (1967) segnala una versione (attribuita anch'essa a Gianantonio Guardi) presso una raccolta privata italiana. Altra versione, forse di mano francese, con lievi varianti, si trova presso la raccolta Karlin a Saratoga Springs (New York). Dall'incisione di Flipart, Francesco Guardi trasse un dipinto, ora a Milano in proprietà privata (si veda "Classici dell'Arte - 71", n. 66).

25. IL SARTO. Venezia, Galleria dell'Accademia (n. 469)

ol/tl 60×49 *1741*

Già nella collezione Contarini a Venezia. Da accostare, anche per la datazione, al *Concertino* (n. 23, si veda).

26. LA TOELETTA. Venezia, Gallerie dell'Accademia (n. 464)

ol/tl 60×49 1741*

Già nella collezione Contarini

a Venezia. Da accostare al *Concertino* (n. 23); l'atmosfera dell'opera è giocata sul disegno e sul colore dell'abito della dama.

27. LA PRESENTAZIONE. Parigi, Louvre

ol/tl 64×53 *1741*

Già presso la galleria Haberstock di Berlino, faceva parte della vendita all'Hôtel Drouot del novembre 1941. È senza dubbio uno dei migliori dipinti di questo periodo, e si riallaccia, per finezza di pennellata e per composizione, alla pittura francese.

Vi può forse essere riferito il disegno n. 487 del Museo Correr di Venezia (foto 27[1]).

28. LA VISITA ALLA BIBLIOTECA. Worcester, Art Museum

ol/tl 59×44 1741*

Già a Londra in proprietà Locker-Lampson. L'analogia stilistica con le opere accostate al *Concertino* (n. 23) suggerisce la datazione all'inizio del periodo 1740-50, mentre l'affinità del dipinto con l'illustrazione di Boucher per le *Femmes Savantes* di Molière incisa da Cars nel 1734, testimonia l'appartenenza al periodo 'francesizzante' del Longhi.

Un disegno preparatorio (foto 28[1]) si trova al Museo Correr di Venezia (n. 470). Per la figura della dama l'artista riutilizzò lo studio per la *Presentazione* (si veda al n. 27).

29. LA PROVA DI CANTO

65×51 1741*

Passò alla vendita Finarte di

Milano il 18-XI-72 (n. 131); l'attuale ubicazione ci è ignota. Cronologicamente prossima al *Concertino* (n. 23) e alla *Presentazione* del Louvre (n. 27), presenta anch'essa notevoli influssi francesi.

30. LA LEZIONE DI MUSICA [LA GABBIETTA]. San Francisco, M.H. De Young Memorial Museum

ol/tl 53×42 1740-50

Donato (1952) al museo da Mortimer Leventritt. Opera di grande interesse dal punto di vista cromatico e luministico. La cronologia al decennio 1740-50 è suggerita dall'affinità stilistica con i n. 24 e 27.

Un disegno preparatorio si trova al Museo Correr di Venezia (n. 447; foto 30[1]).

31. IL RISVEGLIO DELLA DAMA. Springfield Gardens (N.Y.), Hope

ol/tl 43,5×34,5 *1740-45*

Già nelle collezioni del duca di Leuchtenberg a Pietroburgo (Leningrado), del principe Demidoff a Firenze, della principessa Matilde Bonaparte a Enghien, fu venduto all'asta Parke-Bernet del 16 maggio 1952 (n. 276). Di questo tema più volte ripetuto, è l'unico esemplare che può esser considerato autografo. Una versione identica si trova anche nella collezione Trecate a Trezzano sul Naviglio. Nessuna delle versioni precedentemente note (Kansas City; Segromigno Monte) presentava la pittura nella corretta posizione, a rovescio rispetto alla stampa di Flipart, e al diritto rispetto ai disegni del Mu-

seo Correr di Venezia (n. 561-563). La corrispondenza alla stampa inoltre qui è massima, fin nel foglietto che il gentiluomo seduto regge, e sul quale è possibile leggere l'iscrizione "Cetenzia nova". La datazione sul 1740-45 è suggerita dall'incisione di Flipart, che va riferita a quell'epoca.

32. LA BALIA. Venezia, Ca' Rezzonico (n. 135)

ol/tl 52×41 1740-45

Proviene dalla collezione di Teodoro Correr. *Pendant* del n. 33. Riconosciuto come opera giovanile del Longhi soltanto dopo un recente restauro (Pignatti, 1960).

33. LA DAMA AMMALATA. Venezia, Ca' Rezzonico (n. 134)

ol/tl 52×41 1740-45

Pendant del n. 32 di cui condivide le vicende 'esterne'. Si rilevano analogie tra la figura del medico e quella del suonatore di viola del n. 23 e con il n. 40 nella figura della dama. Il giudizio di Valcanover (1956) volto a una cronologia tarda (1762-72) e quello di Moschini (1956) in dubbio sull'autografia dell'opera, devono ritenersi frutto del cattivo stato della tela, solo di recente restaurata.

Al Museo Correr di Venezia è conservato un disegno preparatorio (n. 435; foto 33[1]).

34. IL PITTORE NELLO STUDIO. Londra, propr. priv.

ol/tl 38×51,5 1740-45

Già a Londra nella collezione Cavendish Bentinck venduta nel 1891; quindi in proprietà priva-

87

23 [Tav. VII]

24 [Tav. VI]

24[1]

27 [Tav. IX-X]

27[1]

28 [Tav. XI]

28[1]

29

30

30[1]

25 [Tav. VIII]

26

31

32

33

33[1]

34   35 [Tav. XII-XIII]   36

34¹   34²

37

si rivela di fondamentale importanza, denunciando l'ascendente che il raffinato colorismo veneziano — come in Rosalba Carriera e Amigoni — esercitò sull'artista.

43. LA VISITA ALLA DAMA. New York, Metropolitan Museum (n. 14.32.2)

ol/tl 60,9×49,5 f d 1746

Reca, a tergo, l'iscrizione: "Petrus Longhi 1746". Già a Padova nella collezione Miari. Nel catalogo della vendita Volpi a New York (1917) risulta parte di un gruppo di venti dipinti della collezione Gambardi di Firenze oggi suddiviso tra le collezioni Miari di Padova e Perera di New York, la National Gallery di Londra e la Pinacoteca di Brera. Dal confronto con le opere accostabili al *Concertino* (n. 23) risulta evidente una maggior chiarezza cromatica mentre la descrizione dell'ambiente del Settecento veneziano diventa ancor più incisiva con l'aumentare dei personaggi.

Uno studio per il fondo (foto 43¹) è conservato a Venezia, Museo Correr (n. 547).

44. INCONTRO DEL PROCURATORE CON LA MOGLIE. New York, Metropolitan Museum (n. 36.16)

ol/tl 60,9×49,5 *1746*

Già a Firenze nella raccolta Gambardi; quindi in proprietà Miari a Padova. Databile in base all'affinità di stile con il n. 43. Il soggetto 'piccante', che illustra l'incontro del procuratore con la moglie in un locale frequentato da coppie mascherate, ebbe molto successo e venne in seguito riproposto in numerose versioni e copie.

Se ne conoscono due incisioni: una di Flipart rovesciata, l'altra di Hayd nello stesso senso. Tra le numerose versioni: al Museo Puškin di Mosca (si veda al n. 284), e a Venezia nella Casa Goldoni, al Museo Correr e già in proprietà Dal Zotto. In una collezione privata milanese viene conservata una versione derivata dall'incisione di Flipart, attribuita a Gianantonio Guardi da Cailleux (1967) e a Francesco Guardi dal Morassi (1973; si veda "Classici dell'Arte - 71", n. 65).

45. LA VISITA AL LORD. New York, Metropolitan Museum (n. 19.08.12)

ol/tl 60,9×49,5 *1746*

Già a Firenze in proprietà Gambardi; quindi nella collezione Miari a Padova. In base all'analogia con il n. 43, può essere situato cronologicamente intorno al 1746.

L'incisione trattane da Gutwein è probabilmente la medesima alla quale alludeva il Longhi nella lettera datata 13 maggio 1749 allo stampatore Remondini. Tale incisione risulta nello stesso verso del dipinto ma se ne discosta per la raffigurazione del fondo del *Giove e Callisto* di Amigoni e per l'aggiunta di versetti sul tema 'piccante' della fanciulla in visita al gentiluomo.

46. LA MODISTA. New York, Metropolitan Museum (n. 14.32.1)

ol/tl 61×49,5 1746*

---

ta a Londra tramite una vendita Sotheby (3 luglio 1963). L'ultima ubicazione nota del dipinto è la raccolta W. Stirling di Keir. Si tratta della migliore versione del tema (si vedano i n. 35 e 36). Si veda anche al n. 23.

Due disegni preparatori per le figure dell'artista e del gentiluomo (foto 34¹ e 34²), si trovano al Museo Correr di Venezia (n. 437, 439).

35. c. s. Venezia, Ca' Rezzonico (n. 133)

ol/tl 44×53 1740-45

Proviene dalla collezione di Teodoro Correr. Si tratta di una versione del n. 34.

36. c. s. Dublino, National Gallery of Ireland

ol/tl 61×50 1740-45

Già nella collezione Langton Douglas. Versione con varianti e in verticale dei n. 34 e 35. Un esemplare poco dissimile dal dipinto in esame si trovava a Parigi in proprietà Kaufmann.

37. c. s. Venezia, propr. priv.

ol/tl 61,5×51 *1740-45*

Già a Londra nella galleria O'Nians. Molto vicino alla minuzia del pennello della prima fase longhiana, è una versione dell'analogo tema di Dublino (n. 36), forse più raffinata nell'esecuzione delle figure centrali, che conservano i loro delicati riflessi, caratteristici del periodo. Entrambe le tele sono comunque, a nostro parere, da ricollegare alle versioni orizzontali della scena, cui pare vadano riferiti i disegni creativi del Museo Correr (si veda ai n. 34 e 35): ma non è comunque una novità che il Longhi stesso eseguisse repliche della stessa pittura.

38. IL RISVEGLIO DEL CAVALIERE. Windsor, collezioni reali

ol/tl 49×60 f d 1744

Reca a tergo la scritta: "Petrus Longhi 1744". *Pendant* del n. 39. Già a Venezia nella collezione del console Smith. Opera di fondamentale interesse, alla quale fanno capo molti di-

pinti databili attorno alla metà del decennio a causa della medesima soluzione di morbidezza cromatica.

Cinque disegni preparatori al Museo Correr di Venezia (n. 462 v e 462 r, 481, 482, 450 r; foto 38¹-38⁵).

39. LA MOSCACIECA. Windsor, collezioni reali

ol/tl 48×58 f d 1744

Reca la scritta: "Petrus Longhi F. 174 [...]". *Pendant* del n. 38 di cui può essere considerato contemporaneo.

Al Museo Correr di Venezia si trova il disegno preparatorio per lo sgabello (n. 540 v; foto 39¹).

40. LO SVENIMENTO. Washington, National Gallery of Art (Kress)

ol/tl 49×61 *1744*

Pervenuto al museo dalla raccolta Giovannelli di Venezia insieme con il n. 41. I due dipinti — databili intorno al 1744 in base all'analogia con i n. 38 e

39 — devono essere considerati tra i capolavori del Longhi autore di 'conversazioni'. Versioni più tarde di ambedue, ai n. 159 e 160.

41. IL GIOCO DELLA PENTOLA. Washington, National Gallery of Art (Kress)

ol/tl 49×61 *1744*

Si veda al n. 40 per ogni ragguaglio.

42. MADONNA CON IL BAMBINO, SANTI E ANGELI. Venezia, chiesa di San Pantalon

af 1744-45

Si tratta di alcune raffigurazioni allo stato frammentario, riconosciute recentemente nella piccola cappella della Santa Casa in San Pantalon a Venezia. La decorazione completa nello stato originario (qui riprodotta nelle foto 42 a-42 e) comprendeva il soffitto a cielo stellato e le pareti in finto mattone sulle quali apparivano: la *Madonna con il Bambino, santi e angeli* (42 a), la *Madonna di Loreto* (42 b), una *Santa martire* (42 c), l'*Apparizione della Madonna col Bambino* (42 d) e la *Madonna con il Bambino e sante* (42 e). Nel 1954 vennero raschiati gli sfondi in finto mattone distruggendo l'unità e la completezza ambientale dell'affresco tanto affine alle scenette familiari del Longhi. La precisa collocazione cronologica dell'opera si deve alla scoperta di una pubblicazione del Groppo (Venezia 1756) che descrive lo svolgimento dei lavori dal 6 maggio 1744 al 25 marzo 1745. Secondo il Valcanover (1956), tale opera

42 a

42 b

42 c [Tav. XVI]   42 d

42 e

38   38¹   38²   38⁴

38³   38⁵   39   39¹

40 [Tav. XV]   41 [Tav. XIV]   44   45 [Tav. XIX-XX]   46 [Tav. XXI]

43 [Tav. XVII]   43¹   49   49¹   49²

47 [Tav. XVIII]   47¹   48   48¹   50

Già in proprietà Gambardi a Firenze, quindi a Padova presso Miari.

Inciso dal Cattini, nello stesso verso.

47. GRUPPO DI FAMIGLIA. Londra, National Gallery (n. 1100)

ol/tl   61,3×49,5   *1746*

Già a Milano in proprietà Odofredi. Faceva forse parte, in origine, del gruppo di dipinti Gambardi di Firenze (per cui si ve-

da al n. 43). In base all'affinità stilistica col n. 43, può essere datato intorno al 1746. Il tema risulta difficilmente identificabile (forse un atto caritatevole delle nobili dame in primo piano): unico dato indicativo è il ritratto nel fondo di Gherardo Sagredo che farebbe pensare a un fatto avvenuto presso tale famiglia.

Al Museo Correr di Venezia, un disegno preparatorio per le due fanciulle (n. 504; foto 47¹).

48. LA VISITA DEL PROCURATORE. Londra, National Gallery (n. 5852)

ol/tl   61,5×49,5   1745-50

Già in proprietà Cavendish Bentinck; quindi nella collezione di Arthur James; legato al museo dalla moglie di quest'ultimo nel 1948. L'armonia del disegno e dei colori suggerisce la datazione verso la fine del quinto decennio.

Il disegno preparatorio per i due domestici (foto 48¹) si tro-

va a Venezia, Museo Correr (n. 490).

49. L'INSALATA DEL MILORD. Milano, A. Crespi

ol/tl   60×50   1745-50

Già a Venezia in proprietà Giovannelli. Accostabile ai dipinti 'piccanti' del Longhi per il tema del gentiluomo protettore e per la presenza di motivi come la fanciulla col tamburello.

Al Museo Correr di Venezia, due disegni per la figura del

'milord' (n. 545; foto 49¹) e per una cameriera (n. 479; foto 49²).

50. L'INDISCRETO

ol/tl   60×50   1745-50

Già a Venezia in proprietà Papadopoli; la collezione Riccio di Firenze è l'ultima ubicazione nota. Il dipinto tratta nuovamente un tema 'piccante' accostandosi in tal modo ai n. 43-45, 48, 49.

Non sembra accettabile il giudizio di Moschini (1956) che

52   **52¹**   **55**   **55¹**

53 [Tav. XXXIII-XXXIV]   **53¹**   **53²**   **54**

individua in un disegno conservato al Museo Correr di Venezia (n. 511) lo studio per l'opera in esame: ipotesi contestata peraltro da Valcanover che, giustamente, riferisce il suddetto disegno al n. 10 (si veda).

51. LA MASCHERATA

*1749

Spedita a Dresda nel 1749 dallo stesso Pietro Longhi (si veda *Documentazione*). Mancano ulteriori notizie.

52. IL CAVADENTI. Milano, Brera

ol/tl 50×62 f 1746-52

Reca, a sinistra, la firma: "Pietro Longhi". Proveniente con ogni probabilità dalla collezione Gambardi di Firenze (Wehle, *The Metropolitan Museum of Art. A Catalogue* ..., 1940). La datazione può essere approssimativamente desunta dalle scritte sulle colonne del portico di Palazzo Ducale, visibili sul fondo; a sinistra: "Per Piovan / in S.ª Margarita Pre An

[...?] / Curato D'an[im]e / Padre de P[overi] / [...?]"; a destra: "Per Piovan / in S.ª Margarita / Pre Antonio Polli / [...?]". Antonio Poli divenne pievano di Santa Margherita nel 1746 (Moschini, 1956): dopo quest'ultima data dovrebbe essere collocata quindi la cronologia, confermata anche dai caratteri stilistici: la limpidezza cromatica e il movimento della composizione inducono infatti a collocare l'opera attorno al 1750. Il Pallucchini nota nella figura dell'erbivendolo a sinistra l'influsso del Ceruti.

A Venezia, Museo Correr (n. 542; foto 52¹) è conservato un disegno preparatorio con la figura della nana (Valcanover, 1956). Inciso a rovescio, da Alessandro Longhi, con alcune varianti.

53. L'INDOVINO. Venezia, Gallerie dell'Accademia (n. 468)

ol/tl 60×49 f *1750

Firmato a tergo della tela: "Pietro Longhi". Già nella collezione Contarini di Venezia. Ac-

costabile per lo stile al *Cavadenti* (n. 52), e databile quindi nello stesso periodo.

Due disegni preparatori (foto 53¹ e 53²) sono conservati al Museo Correr (n. 492 e 6058).

54. IL FIDANZAMENTO. Milano, Gerli

ol/tl 61×88 1750*

Già presso i duchi di Newcastle, fu venduto da Sotheby nel 1958. Stilisticamente prossimo alla *Predica* di Bergamo (n. 55) per quanto riguarda la composizione, è da datare con quest'opera e con il *Cavadenti* (n. 52) attorno al 1750. Il tema (la giovane fidanzata viene presentata alla nonna del suo futuro sposo) è svolto con un linguaggio fondato sul chiaroscuro, e ambientato in una scena abilmente orchestrata nella disposizione dei numerosi personaggi.

55. LA PREDICA DEL FRATE. Bergamo, propr. priv.

ol/tl 97×73 1750*

Accostabile per alcuni elementi (denso impasto del colore, somiglianza di alcuni particolari degli arredi) al *Fidanzamento* (n. 54) e al *Cavadenti* (n. 52) e quindi ad essi prossimo anche cronologicamente. Di estrema complessità per quanto riguarda la resa dell'ambiente e l'atmosfera della scena, prelude iconograficamente ai gruppi successivi dei *Sacramenti* (n. 93-99) e delle *Prediche* (n. 102 e 103) di Milano e Brescia.

Un disegno preparatorio con il particolare dello sgabello (foto 55¹) è al Museo Correr di Venezia (n. 534).

56. LE LAVANDAIE. Zoppola, castello

ol/tl 61×50 *1750*

Fa gruppo con i n. 57-59; già nella collezione Gambara di Venezia, da cui passarono all'attuale ubicazione. Il Rizzi (1962) li accosta ai n. 13-16 di Ca' Rezzonico (anch'essi provenienti dalla collezione Gam-

bara), datandoli però tra il 1740 e il 1750; tuttavia la figura del vecchio negli *Ubriachi* (n. 59) si ritrova nella *Seduzione* di Milano (n. 74), e la filatrice della *Polenta* (n. 57) nel *Ballo di contadini* di Chicago (n. 67), dipinti sicuramente attorno al 1750. La datazione può quindi, con ogni probabilità, avanzare fino a questo periodo. La figura centrale è simile all'analogo tema di Ca' Rezzonico (n. 14).

Un disegno preparatorio per la figura di sinistra si trova al Museo Correr di Venezia (n. 456; foto 56¹).

57. LA POLENTA. Zoppola, castello

ol/tl 60×50 *1750*

Per le vicende storico-critiche si veda al n. 56. Il dipinto in esame è posteriore di alcuni anni alla versione dello stesso tema di Ca' Rezzonico (n. 16). La figura della contadina seduta in primo piano richiama quella analoga nella *Filatrice* di Milano (n. 17).

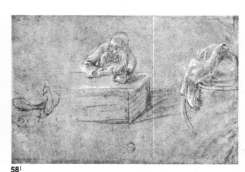

56   **56¹**   **57**   **58**   **58¹**

59   **59¹**   **59²**   **60**   **61** [Tav. XXIII]   **62** [Tav. XXII]

63 **64** **65** **66** **67**

68 **69** [Tav. XXIV] **70** **71**

72 [Tav. XXVI] **72¹** **73** [Tav. XXV] **73¹**

58. LA FILATRICE. Zoppola, castello

ol/tl 61×50 *1750

Per le vicende storico-critiche si veda al n. 56. La figura della filatrice richiama quella dell'analogo dipinto a Ca' Rezzonico (n. 13).

Un disegno preparatorio con uno studio del contadino sul fondo a destra è conservato al Museo Correr di Venezia (n. 525; foto 58¹).

59. GLI UBRIACHI. Zoppola, castello

ol/tl 61×50 *1750

Per le vicende storico-critiche si veda al n. 56.

Due disegni preparatori (foto 59¹ e 59²), per la ragazza a sinistra e i due ubriachi a destra, sono al Museo Correr di Venezia (n. 523 e 526).

60. LA FILATRICE. Venezia, Pinacoteca Querini Stampalia (n. 47.280)

ol/tl 69×49 *1750

Accostabile al dipinto di analogo soggetto conservato a Zoppola (n. 58).

61. LE FILATRICI. Venezia, Pinacoteca Querini Stampalia (n. 48.281)

ol/tl 60×49 *1750

Datato dal Moschini (1956) nel periodo 1760-70, per la maggior vivacità cromatica rispetto all'analogo tema di Ca' Rezzonico (n. 13), non deve tuttavia essere fatto risalire oltre il 1750.

A. Longhi ne trasse un'incisione, cui va riferito un disegno

con due vacche (nel senso contrario rispetto al dipinto) conservato nel Museo di Bassano e pubblicato dal Valcanover (1956).

62. LA CONTADINA ADDORMENTATA. Venezia, Pinacoteca Querini Stampalia (n. 46.279)

ol/tl 61×50 *1750*

Le stesse ragioni stilistiche citate per il n. 61 inducono a datare il dipinto in esame attorno al 1750.

63. LA VENDITRICE DI FRITOLE. Venezia, Ca' Rezzonico (n. 1304)

ol/tl 62×51 *1750*

Già a Venezia in proprietà Morosini. Reca sulla parete di fondo: "Per Piovan / in S. Baseggio / P. e Lorenzo Balischi / ...". Simili scritte, spesso introdotte dal Longhi nelle sue composizioni (si veda ai n. 65, 81, 117, ecc.) come elementi realistici e di costume, erano 'manifesti' di propaganda, a favore di questo o di quel candidato, per l'elezione alla carica di parroco, che si teneva da parte dei proprietari di immobili di ogni parrocchia. Il confronto con i registri parrocchiali dell'epoca può fornire elementi preziosi per la datazione dell'opera; nel caso in esame, come giustamente nota il Moschini [1956], permette di situare l'opera intorno al 1750, periodo di grande interesse in cui ha inizio la produzione di opere di tema popolare. Per Pallucchini (1951-52) il dipinto segna l'inizio di un'evoluzione cromatica, caratterizzata da tin-

te più chiare rilevate dall'effetto chiaroscurale, che distinguerà tutta la produzione longhiana del sesto decennio. Molto vicino, per intonazione, al *Venditore d'insalata* di Longleat (n. 66).

64. c. s. Milano, Galleria d'Arte Moderna

ol/tl 61×50 *1750*

Già a Milano, in proprietà Grassi. Replica quasi identica del n. 63 del quale reca la medesima iscrizione: "Per Piovan / in San Baseggio / P. Lorenzo Balischi / [...?] Anni / 58 [...?]".

65. IL VENDITORE DI FRITOLE

ol/tl 61×50 *1750*

Già in proprietà dei conti di Collalto; passato all'asta Weinmüller di Monaco il 30 giugno 1941 e nello stesso anno esposto a Roma. Forse identificabile con la tela confiscata nel 1945 dal governo militare alleato come proveniente dalla raccolta Goudstikker; l'ultima ubicazione certa è comunque la collezione Vollert di Monaco. Reca nel fondo, in alto a destra, un'iscrizione che allude al pievano di Santa Maria Formosa don Pietro Raimondi: "Per Piovan / In Santa Maria / Formosa / Pre Piero Raimondi / [...?] / [...?] / Padre de Poy[eri] / [...?]"; la datazione dell'opera dev'essere quindi posta intorno al 1750, entro i limiti cioè del mandato del pievano stesso (30 gennaio 1733 - 18 maggio 1752). Si rivela interessante l'effetto chiaroscurale che mette in evidenza i toni pacati delle figure in contrasto con le ombre.

Un'incisione rovesciata del dipinto è dovuta ad Alessandro Longhi.

66. IL VENDITORE D'INSALATA. Longleat (Warminster), marchesa di Bath

ol/tl 61×50 *1750*

Già in proprietà Cavendish Bentinck a Londra. Prossimo, dal punto di vista cromatico, alla *Venditrice di fritole* di Ca' Rezzonico (n. 63), da cui riprende la figura femminile alle spalle di quella centrale. Analogamente, il motivo della ragazza seduta con tamburello ricomparirà in altri dipinti successivi dell'artista, secondo l'uso tipico degli anni intorno al '50, per cui inserisce in differenti composizioni elementi desunti da altre sue opere (si veda, per esempio, al n. 76).

67. BALLO DI CONTADINI. Chicago, Art Institute (Worcester)

ol/tl 61,7×49,7 *1750*

Già in proprietà Papadopoli a Venezia, quindi Wanamaker a Filadelfia. Riferito dal catalogo del museo, (1961) intorno al 1745; appare prossimo al gruppo di dipinti di tema popolare accostabili alla *Venditrice di fritole* di Ca' Rezzonico (n. 63).

Riprodotto, a rovescio, in una stampa di Alessandro Longhi.

68. LA FURLANA. Northampton, Smith College Museum of Art

ol/tl 61,5×50 1750*

Già in proprietà Schaeffer a New York. Si tratta, verosimil-

mente, della prima versione del tema, più volte ripreso (n. 69-71).

69. c. s. Venezia, Ca' Rezzonico (n. 1314)

ol/tl 62×51 1750*

Già nella collezione Morosini a Venezia. Replica del n. 68, con alcune varianti (l'abolizione del busto femminile fra le due donne al centro, la figura del ballerino a destra, la proporzione delle figure stesse).

70. c. s. Venezia, Pinacoteca Querini Stampalia

ol/tl 61×49,5 1750*

Già nella collezione Donà delle Rose, pure a Venezia. Si ricollega in particolare al n. 69, rispetto al quale presenta comunque numerose varianti, soprattutto la tendenza al monocromo, e la ragazza che si appresta alla danza risultano analoghe a quelle dei n. 68 e 69.

71. c.s.

1750*

Pubblicata dal Ravà (1923), che non fornisce ulteriori indicazioni. La figura seduta a sinistra e la ragazza che si appresta alla danza risultano analoghe a quelle dei n. 68 e 69.

72. CACCIATORE E CONTADINE. Milano, Alemagna

ol/tl 60×48 *1750

Riprende il motivo galante delle 'tentazioni' già trattato nel decennio precedente, ma è si-

74

74¹

75

76

77

78 [Tav. XXVII-XXIX]

79

80

81 [Tav. XXXI-XXXII]

82 [Tav. XXX]

83 [Tav. XXXV]

84 [Tav. XXXVII]

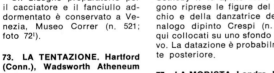

85 [Tav. XXXVI]

85¹

85²

92

tuabile cronologicamente dopo il 1750, per l'affinità stilistica con la *Venditrice di fritole* (n. 63) e la *Tentazione* di Hartford (n. 73).

Un disegno preparatorio per il cacciatore e il fanciullo addormentato è conservato a Venezia, Museo Correr (n. 521; foto 72¹).

73. LA TENTAZIONE. Hartford (Conn.), Wadsworth Atheneum

ol/tl 61×49,5 *1750

Già nella collezione Giovannelli.

Valcanover (1956) segnala un disegno preparatorio parziale nel Museo Correr di Venezia (n. 474; foto 73¹).

74. LA SEDUZIONE. Milano, A. Crespi

ol/tl 60×50 *1750

Già nella collezione Giovannelli di Venezia. Fa coppia con il n. 75. La datazione può essere posta tra il 1750 e il '55.

Un disegno preparatorio parziale è conservato al Museo Correr di Venezia (n. 452; foto 74¹).

75. LA DANZATRICE. Milano, A. Crespi

ol/tl 61×49 *1750

Già a Venezia in proprietà Giovannelli. Fa coppia con il n. 74. Le figure della ballerina e del vecchio sono ripetute in una versione posteriore, a Londra (n. 76).

76. c. s. Londra, propr. priv.

ol/tl 61×49 *1750

Già nella collezione Gambardi

di Firenze, passò quindi a Padova presso Miari, e tornò poi a Firenze presso Volpi; in seguito passò a New York presso Perera, e fu venduto a Londra da Sotheby il 19 aprile 1967. Vengono riprese le figure del vecchio e della danzatrice dell'analogo dipinto Crespi (n. 75), qui collocati su uno sfondo nuovo. La datazione è probabilmente posteriore.

77. LA MODISTA. Londra, Brinsley Ford

ol/tl 60,5×51 *1750

Già nella collezione Prescott a Londra. Si tratta di una ulteriore versione dell'analogo tema di New York (n. 46), databile alcuni anni più tardi. Si distingue per il cromatismo vivace.

78. IL RINOCERONTE. Venezia, Ca' Rezzonico (n. 1312)

ol/tl 62×50 f d 1751

Dà inizio a una nuova serie di 'cronache' dal vero, che occuperanno parte del sesto decennio. Reca l'iscrizione: "Vero Ritratto / di un Rinocerotto [*sic*] / condotto in Venezia / l'anno 1751: fatto per mano di / Pietro Longhi / per commissione / del N.O. Giovanni Grimani / dei Servi Patrizio Veneto". Già nella collezione Morosini di Venezia. L'animale (forse il primo rinoceronte giunto in Europa dopo quello raffigurato da Dürer nella xilografia del 1515) fu oggetto di curiosità in molti paesi, e venne effigiato in una medaglia a Norimberga, a Parigi in un dipinto di Oudry e a Verona dal Lorenzi, oltre che essere oggetto di una dissertazione di Scipione

Maffei. Il Longhi ne trae spunto per un'opera fondamentale, dove il suo linguaggio pittorico supera definitivamente ogni elemento di plasticismo. Restaurato nel 1946 da A. Lazzarin.

Inciso da A. Longhi, a rovescio e con numerosi particolari (fondo e personaggi) differenti, ai quali non corrisponde alcun dipinto noto. Si veda anche al n. 196.

79. c. s. Londra, National Gallery (n. 1101)

ol/tl 60,5×47 1751*

Già a Milano nella collezione Odofredi, quindi probabilmente a Firenze nella collezione Gambardi. Versione cronologicamente posteriore del n. 78, da cui differisce per la mancanza dell'iscrizione sul cartiglio e per due delle figure in secondo piano, che qui sono mascherate e in pose leggermente differenti. La rintelatura ha rivelato la scritta: "... per commissione del Nobile Uomo Sier / Girolamo Mocenigo / Patrizio Veneto"; viene così confermata l'ipotesi che si tratti di una replica per un secondo committente.

80. LA LETTERA DEL MORO. Venezia, Ca' Rezzonico (n. 1301)

ol/tl 62×50 *1751*

Già a Venezia in proprietà Morosini. Sulla parete di fondo è riprodotto un dipinto dello Zuccarelli. La datazione si basa sulle affinità con il *Rinoceronte* (n. 78), accanto al quale viene a costituire un pilastro fondamentale dello sviluppo 'cronistico' sempre più sensibile e attento ai valori del colore nel-

la realtà tipica del sesto decennio. Restaurato nel 1946 da A. Lazzarin.

81. L'INDOVINA. Venezia, Ca' Rezzonico

ol/tl 62×50 1752*

Reca sulla parete di fondo, in alto, la scritta: "Per Piovan / in San Trovaso / D. Fran.co Comparato / Curato de Poveri [...?]", e, sulla colonna a destra, sotto il segno di 'evviva' ("W") e il corno dogale: "Per Dose / Sier Fran.co Loredan / Padre de Poveri / [...?]". Appartenne alla collezione Morosini di Venezia. Il riferimento cronologico è fornito dalle due iscrizioni, alludenti, rispettivamente, alla elezione del piovano di San Trovaso (si veda al n. 63), Francesco Comparato (1752); e al dogato di Francesco Loredan (1752-62): si tratterebbe del primo esemplare del tema (si veda al n. 117).

82. LA SCUOLA DI LAVORO. Venezia, Ca' Rezzonico (1302)

ol/tl 62×50 *1752*

Già a Venezia in proprietà Morosini. Databile intorno al 1752 anche in base all'analogia con il n. 81. Il colore tende all'argenteo. Interessante il particolare del manichino di cera che sorregge una parrucca.

83. IL FARMACISTA. Venezia, Gallerie dell'Accademia (n. 467)

ol/tl 60×48 f *1752*

Reca a tergo la firma: "Pietro Longhi". Già nella collezione Contarini di Venezia. Il quadro sulla parete di fondo, in alto,

una *Natività*, è stato identificato da Arslan come un'opera del Balestra, in seguito ritrovata da M. Abis in una collezione privata veneziana (Pilo, *Longhi, allievo del Balestra*, "Arte figurava" 1961). Si tratta di un'opera notissima e tra le più felici, dove gli influssi francesi si fondono armonicamente con l'osservazione ironica dei tipi psicologici e il colore di tradizione veneziana.

84. LA FAMIGLIA SAGREDO. Venezia, Pinacoteca Querini Stampalia (n. 84)

ol/tl 61×50 *1752*

Già nella collezione Donà delle Rose a Venezia. Reca in basso l'iscrizione: "En tibi SAGREDÆ prestantia lumina Gentis, / Lumina, quæ Veneto clarius axe micant. / CÆCILIA est Auctrix CATHERINA MARINA que Natæ, / Hæc Unum, ut cernis, protulit illa Duas". I personaggi citati sono stati identificati da R. Gallo (Pallucchini, 1947): si tratta, da sinistra a destra, di Cecilia Grimani Calergi, sposata Sagredo, della figlia Marina (col nipote Almorò II Pisani), e della figlia Caterina (con i nipoti Cecilia e Contarina Barbarigo). L'identificazione ha permesso una datazione relativamente precisa dell'opera. L'attività ritrattistica di questo tipo è peraltro tipica del Longhi in questo decennio, in una maniera vicina al genere della *conversation piece* inglese.

L'identificazione come disegno preparatorio di un foglio della collezione Brinsley Ford di Londra (Valcanover, 1956) non è convincente.

86 [Tav. XXXVIII]

86¹

86²

87

90¹

91

91¹

91²

88 [Tav. XLI]

88¹

89

92

92¹

85. FAMIGLIA PATRIZIA. Venezia, Ca' Rezzonico (n. 126)

ol/tl 62×50 1752*

Già presso Teodoro Correr a Venezia. La datazione si deduce dal confronto con la *Famiglia Sagredo* (n. 84). Restaurato nel 1946 da A. Lazzarin.

Due disegni preparatori parziali (foto 85¹ e 85²), conservati al Museo Correr (n. 440 e 463), sono stati segnalati dal Valcanover (1956).

86. LA LEZIONE DI GEOGRAFIA. Venezia, Pinacoteca Querini Stampalia (n. 22.276)

ol/tl 62×41,5 1752*

Motivi stilistici inducono a porre la datazione vicino alla *Famiglia Sagredo* (n. 84). Il tema del ritratto di famiglia si arricchisce qui con una notazione di costume tipicamente illuminista: la scienza divulgata tra i non specialisti, aristocratici e borghesi, còlta qui nel suo risvolto più mondano, la moda dell'erudizione (si pensi al *Newtonianismo per le dame* dell'Algarotti).

Valcanover (1956) segnala due disegni preparatori parziali (foto 86¹ e 86²) conservati al Museo Correr (n. 450 v e r).

87. c. s. Padova, Museo Civico

ol/tl 63×50 1752*

Già a Padova in proprietà Piombin. Secondo il Bortolini (*La lezione* o *L'audizione di geografia*, "Ateneo Veneto" 1954) il dipinto sul fondo raffigurerebbe il beato Gregorio Barbarigo; si tratterebbe quindi di un ritratto di quella famiglia. La datazione si fonda sulle af-

finità con il dipinto di analogo tema conservato alla Pinacoteca Querini Stampalia di Venezia (n. 86).

88. IL CONCERTINO IN FAMIGLIA. Venezia, Ca' Rezzonico (n. 1311)

ol/tl 62×50 1752*

Già a Venezia in proprietà Morosini. La datazione può essere stabilita dalle affinità stilistiche con l'*Indovina* (n. 81).

Un disegno preparatorio raffigurante il chitarrista (foto 88¹) è conservato al Museo Correr (n. 443).

89. DAMA. Milano, propr. priv.

ol/tl 42×32 1752*

Può essere forse identificato con quello pubblicato dal Ravà (1923) come "senza casa": ma occorrerebbe, accettando quest'ipotesi, supporre un restauro successivo, che ne avrebbe modificato alcuni particolari. Databile fra il 1750 e il '60 per l'affinità con l'analoga figura del *Concertino* di Ca' Rezzonico (n. 88).

Una versione molto simile si trova presso la collezione Paulucci di Ferrara.

90. LA BOTTEGA DEL CAFFÈ

*1753

Già a Venezia in proprietà Cecilia Emo Morosini delle Sbarre. Citata in una lettera (12-1-1753) dello stesso Pietro Longhi a G. B. Remondini (si veda *Documentazione*).

Perdute le tracce del dipinto, resta l'incisione di Wagner con l'iscrizione "Petrus Longhi ven. Pinxit" (foto 90¹).

91. IL SOLLETICO. Lugano, Thyssen

ol/tl 61×48 *1755*

Passato alla vendita Parke-Bernet del 20 maggio 1971. Se ne conosce un'incisione nello stesso verso (foto 91¹) e un disegno preparatorio al Museo Correr (n. 448; foto 91²). Non v'ha dubbio che il dipinto ora venuto in luce è quello che il Longhi eseguì dal disegno Correr, e che venne riprodotto nella stampa (curiosamente, la stampa è nello stesso verso del dipinto, il che fa pensare sia stata a sua volta eseguita da una copia grafica del dipinto, o da un'altra stampa, a rovescio). Siamo però forse un decennio più avanti di quanto non si pensi a prima vista, e cioè attorno al 1755. Nella *Visita al lord* del Metropolitan (n. 45) compare alla parete il medesimo dipinto dell'Amigoni, ma la raffinata eleganza delle figurine ci porta qui verso le *Famiglie patrizie* della Querini e di Ca' Rezzonico (n. 84 e 85).

Per un'altra versione più tarda del tema, si veda il n. 162.

92. IL PRANZO IN FAMIGLIA. Providence, Rhode Island School of Design

ol/tl 62×51 *1755*

Già a Roma in proprietà Giovannelli. Databile per le affinità con i ritratti di famiglia (n. 84, 85) tra il 1750 e il '60.

Un disegno preparatorio per la figura del vecchio (foto 92¹) si trova al Museo Correr di Venezia (n. 487 v).

I 'Sacramenti'

Il gruppo, costituito da sette tele derivate per l'iconografia dai *Sacramenti* del Crespi, è uno dei risultati più alti del periodo maturo del Longhi. La datazione è stata oggetto di numerose discussioni: l'Arslan (1943) la pone attorno al 1740; il Valcanover (1951-52) prima del 1751; è tuttavia più probabile che essa debba essere alquanto avanzata, secondo l'opinione del Moschini (1956) e del Pallucchini (1960); i dipinti in esame presentano infatti le forme sfumate e il morbido colore tipici del periodo 1750-60, la cui produzione è compresa tra due dipinti di Ca' Rezzonico, l'*Indovina* (n. 81) e il *Ciarlatano* (n. 121). Il termine *ante quem* deve comunque essere stabilito al 1755: a questa data infatti (e non al 1757, come comunemente gli autori riportano) risale il volume X delle commedie del Goldoni edite dal Paperini a Firenze, in cui l'autore, dedicando il suo *Frappatore* all'incisore Pitteri, ne cita, come un'opera già iniziata, le riproduzioni dei *Sacramenti* del Longhi. Da queste incisioni, eseguite tutte nello stesso verso del dipinto, il Guardi trasse una serie di disegni, ora al Museo Correr di Venezia.

93. IL BATTESIMO. Venezia, Pinacoteca Querini Stampalia (n. 11.265)

ol/tl 60×49 1755*

94. LA CRESIMA. Venezia, Pinacoteca Querini Stampalia (n. 12.266)

ol/tl 60×49 1755*

95. LA COMUNIONE. Venezia, Pinacoteca Querini Stampalia (n. 14.268)

ol/tl 60×49 1755*

96. IL MATRIMONIO. Venezia, Pinacoteca Querini Stampalia (n. 17.271)

ol/tl 62×50 1755*

97. L'ESTREMA UNZIONE. Venezia, Pinacoteca Querini Stampalia (n. 15.269)

ol/tl 61×50 1755*

98. L'ORDINE SACRO. Venezia, Pinacoteca Querini Stampalia (n. 16.270)

ol/tl 61×49 1755*

99. LA CONFESSIONE. Venezia, Pinacoteca Querini Stampalia (n. 13.267)

ol/tl 60×49 1755*

Secondo il Moschini si tratta della prima tela del gruppo in ordine di esecuzione; vi connette inoltre un disegno del Museo Correr (n. 565 r; foto 99¹), che tuttavia è da riferire alla replica dello stesso tema attualmente a Firenze, Uffizi (n. 100).

100. LA CONFESSIONE. Firenze, Uffizi

ol/tl 61×50 *1755*

Chiaramente derivato dal n. 99, e ad esso vicino per datazione.

Per un disegno preparatorio si veda al n. 99.

101. c. s. Roma, Albertini

ol/tl 62×50 *1755*

Già forse nella collezione Ca-

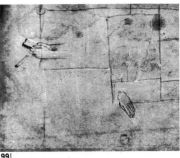

93 [Tav. XLII]   94   95   96 [Tav. XLIII]

97   98   99   99¹

vendish Bentinck, quindi presso Drake a Londra. Stilisticamente prossimo ai n. 99 e 100.

102. IL MIRACOLO DI SAN LORENZO. Brescia, Casa madre delle Ancelle della Carità

ol/tl 60×49 *1755*

Databile, per i caratteri stilistici, vicino ai *Sacramenti* di Venezia (n. 93-99), anche se il chiaroscuro più accentuato, che accresce l'effetto drammatico, prelude al periodo della *Caccia in valle* (n. 188-194).

103. LA PREDICA DEL FRATE. Milano, propr. priv.

ol/tl 60×49 *1755*

Stilisticamente prossima ai *Sacramenti* (n. 93-99), viene giustamente datata dall'Arslan verso la fine degli anni Cinquanta.

104. SACRA FAMIGLIA

1755*

Nota solo attraverso la citazione dell'incisione da essa derivata, che il Goldoni, nella prefazione al *Frappatore* (si veda la scheda introduttiva ai n. 93-99) dice in corso di esecuzione da parte dei Pitteri.

105. GUGLIELMO DI MONFORT E L'AIUTANTE DI CAMPO. Venezia, Ca' Rezzonico (n. 868)

ol/tl 62×50 *1755*

Già a Venezia in proprietà Paravia. Una scritta a tergo della tela identifica gli effigiati: "Guglielmo Graeme de Duchi de Monfort Scozzese tenente generale della R. Veneta morto a

Padova nel 1767, venne nel 1755. Giovanni Moser de Filsek suo aiutante di campo morto Brigadiere, Sopraintendente del Campo del Genio a Cattaro". Il soggiorno del generale a Venezia nel 1755 indica con ogni probabilità la datazione del dipinto. Il Longhi tenta qui per la prima volta la resa di un personaggio reale, sull'esempio dei pittori di battaglie (per esempio il Simonini). Restaurato da A. Lazzarin nel 1946. Si veda anche al n. 23.

106. LA PASSEGGIATA A CAVALLO. Venezia, Ca' Rezzonico (n. 256)

ol/tl 62×58 *1755*

Già a Venezia in proprietà Tironi. La datazione è indicata dalle affinità con il *Guglielmo di Monfort* (n. 105). La resa del paesaggio e degli animali già preannuncia i più tardi capolavori della *Caccia in valle* (n. 188-194). Restaurato nel 1946 da A. Lazzarin.

107. CAVALCATA DI GIOVINETTI. Firenze, Museo Stibbert

ol/tl 70×56 *1755*

Segnalato soltanto recentemente dal Martini (1964) benché da lungo tempo esposto nel museo come opera del Longhi. Si ricollega alla *Passeggiata a cavallo* (n. 106), di cui tuttavia non ha la brillantezza di colori, preludendo già ai toni più smorzati dell'ultimo periodo.

108. EUGENIO DI SAVOIA. Venezia, Ca' Rezzonico (n. 359)

ol/tl 62×51 *1755*

Già nella collezione Correr. Si tratta di un ritratto postumo che celebra la gloria del famoso condottiero. Il fondo e il colore ricordano gli altri dipinti di carattere equestre, verso il 1755-60. Restaurato nel 1946 da A. Lazzarin.

109. IL CONCERTINO. Milano, Brera

ol/tl 50×62 1755-60

Proveniente forse dalla collezione Gambardi di Firenze. La datazione deve essere posta tra il 1755 e il '60; rispetto ai n. 43-46, infatti, la composizione si evolve verso schemi più aperti e agili, verso un'illuminazione più naturale. La datazione può essere confermata anche dalle affinità, segnalate dal Pallucchini (1960), con Ceruti e con Liotard, il quale si trovava a Venezia attorno al 1745.

110. LA SPINETTA. Milano, eredi M. Crespi

ol/tl 44×36 1755-60

Databile nel sesto decennio, vicino al *Laboratorio di ricamo* di Londra (n. 111).

111. IL LABORATORIO DI RICAMO. Londra, National Gallery (n. 5841)

ol/tl 61,5×50,7 1755-60

Già presso la collezione londinese Cavendish Bentinck, quindi, come testimonia Berenson, in proprietà James.

Un disegno probabilmente in relazione col dipinto in esame (foto 111¹) si trova al Museo Correr a Venezia (n. 569).

112. L'UDIENZA DEL DOGE PIETRO GRIMANI. Venezia, Museo Correr (n. 130)

ol/tl 61×50 1755-60

Già nella collezione Correr. La datazione approssimativa negli anni fra il 1755 e il 60 deriva dal confronto con altri ritratti del doge: l'incisione del Nazari Orsolini (1744) ce lo presenta infatti più giovane, mentre in quella del Cattini (1752) i lineamenti si avvicinano a quelli del dipinto in esame. Per un altro ritratto dello stesso personaggio si veda al n. 113. Restaurato nel 1953 da G. Pedrocco: le numerose lacune sono state intonate e tratteggiate.

Il Valcanover (1956) ha identificato nel disegno n. 574 del Museo Correr (foto 112¹) uno studio per le figure dei senatori; altro disegno alla Morgan Library di New York.

113. IL DOGE PIETRO GRIMANI. Bergamo, propr. priv.

ol/tl 48×32 1755 60

Databile nel 1756-60 sia per le ragioni storiche valide per la *Udienza* del Museo Correr (si veda al n. 112), sia per indicazioni stilistiche come il cromatismo vivo e i lumi ben rilevati.

114. DAMA E GENTILUOMO. Milano, Dezza

ol/tl 59×45 *1755-60*

Opera molto fine, che la recente pulitura ha recuperato alla sua trasparenza incisiva, caratteristica del sesto-settimo decennio. Anche il costume, col sontuoso panciotto ricamato e il parrucchino corto, conferma la datazione avanzata.

115. IL SENATORE SEBASTIANO FOSCARINI. Amiens, Musée de Picardie

ol/tl 41×26 *1755-60*

Già in proprietà Lavallard; donato al museo nel 1890. Sul verso è leggibile l'iscrizione: "Sebastiano Foscar [ini?] cavaliere e procuratore". Si tratta forse di Sebastiano Foscarini nato nel 1717, ambasciatore in Spagna e a Vienna ancora vivente nel 1767. Il dipinto venne esposto, con l'attribuzione a Pietro Longhi, alla mostra "De Tiepolo à Goya" organizzata a Bordeaux nel 1956, e pur con qualche dubbio (Pignatti, 1968) merita di esser considerato fra i possibili autografi. Le inusuali piccole dimensioni gli conferiscono un carattere quasi miniaturistico, oggi peraltro riconosciuto anche in altri dipinti (si veda al n. 113 e 180).

116. LA CACCIA ALLA LEPRE. Venezia, Pinacoteca Querini Stampalia

ol/tl 56×72,5 1755-60

Già a Venezia in proprietà Donà delle Rose. Appare, per ragioni stilistiche, cronologicamente di poco posteriore alla *Passeggiata a cavallo* (n. 106). Il paesaggio del fondo è ispirato a Marco Ricci o allo Zais.

Un disegno con una dama e un cacciatore, conservato al Museo Correr (n. 489; foto 116¹) è, secondo il Moschini (1956), uno studio preparatorio.

117. L'INDOVINA. Londra, National Gallery (n. 1334)

ol/tl 59,1×48,6 f 1756*

Seconda, e più tarda, versione del n. 81. Già nella collezione Cavendish Bentinck di Londra. Firmato in basso a destra: "Petrus Longhi"; reca sulla colonna a destra l'immagine del tipico copricapo dogale tra due segni di 'evviva' ("W"), sotto la quale si legge la scritta: "Per Doge / Sier / Francesco Loredan / Padre de Poveri / 1753". Nel fondo, sulla parete del palazzo, un'altra scritta: "Per Piovan / in San Trovaso / D. Zuane Farinato / per le [?] anni XXX / 1756". La seconda scritta, relativa, come altre riportate nei dipinti longhiani (si veda al n. 63), alle elezioni dei parroci veneziani, si riferisce a un candidato proposto nel 1756 ma non eletto: alla parrocchia di San Trovaso, vacante dal 1752, fu infatti retta da quell'anno fino al 1803 circa da certo don Francesco Comparato (si veda l'analoga iscrizione del n. 81, che però reca anche il nome del padre Comparato: il Longhi non si sarebbe quindi curato di trascrivere con esattezza la data). Anche per il rapporto con il *Ciarlatano* (n. 121), l'opera in esame sarebbe dunque da datare, come conclude Levey (1956), proprio sul 1756.

118. 'IL MONDO NOVO'. Venezia, Pinacoteca Querini Stampalia

ol/tl 61×49 *1756*

Già in proprietà Donà delle Rose a Venezia. Il titolo deriva dal nome popolare dato al 'cosmorama', l'apparecchio qui raffigurato nel fondo: esso offriva in cambio di qualche soldo la visione tridimensionale di panorami esotici (generalmente di un più o meno fantasioso

100   101   102   103

"mondo nuovo", l'America). Riprende la composizione a grandi figure dell'*Indovina* (n. 117) e reca sulla colonna di fondo — sotto i consueti simboli di 'evviva' — la scritta: "Per Dose / Sier Fran.co / Loredan / Padre de Poveri". Poiché il doge Loredan regnò dal 1752 al '62, ne viene confermata la datazione proposta in base ai dati stilistici.

119. LA VENDITRICE, DI ESSENZE. Venezia, Ca' Rezzonico (n. 127)

ol/tl 61×51 *1756*

Già nella raccolta di Teodoro Correr a Venezia. Appartiene cronologicamente al periodo dell'*Indovina* (n. 117), come suggerisce l'intonazione bruna del colore, mentre le figure in 'baùta' si possono accostare a quelle dei *Ridotti* della Pinacoteca Querini Stampalia (n. 129, 130). Restaurato nel 1946 da A. Lazzarin.

120. IL RICEVIMENTO IN CORTILE. Saint Louis, City Art Museum

ol/tl 61×50,7 *1756*

Già presso la collezione Papadopoli a Venezia. La datazione si fonda sul confronto con l'*Indovina* (n. 117).

Due disegni del Kupferstichkabinett di Berlino con un gentiluomo e una dama non sembrano, come pensa invece il Moschini (1956) avere rapporto diretto con l'opera in esame.

121. IL CIARLATANO. Venezia, Ca' Rezzonico (n. 129)

ol/tl 62×50 f d 1757

Reca in basso a sinistra la scritta: "Longhi Pin.t 1757". Già a Venezia nella collezione Correr. Prelude con i modi graficamente più liberi e il colore più pastoso e ombreggiato allo stile degli anni Sessanta, e fa parte di un ampio gruppo di temi in cui compaiono patrizi e popolani in maschera.

122. c. s. Segromigno Monte, eredi Salom

tl 64×54 *1757*

Versione del n. 121, a cui è prossima per datazione.

123. c. s. Londra, propr. priv.

ol/tl 59,7×50,8 *1757*

Già presso la collezione Pleydell-Bouverie; fu venduto da Christie il 25 ottobre 1957. Si tratta di una replica (con alcune varianti) del n. 121.

124. 'IL MONDO NOVO'. Segromigno Monte, eredi Salom

ol/tl 64×54 *1757*

Il singolare genere di spettacolo popolare (si veda al n. 118), qui ambientato sotto i portici di Palazzo Ducale, fa da sfondo ai consueti personaggi: gentiluomini in 'baùta' e fanciulle da essi corteggiate. La datazione si fonda sul confronto con il *Ciarlatano* di Ca' Rezzonico (n. 121).

125. GLI ALCHIMISTI. Venezia, Ca' Rezzonico (n. 1299)

ol/tl 61×50 *1757*

Già a Venezia in proprietà Morosini. Raffigura, non senza qualche notazione ironica, tre

105
106 [Tav. XXXIX]
107
108
109
111
111¹
110
112
112¹
113
114
115
116
116¹
117
118 [Tav. XLV]
119 [Tav. XLVI]
120
121 [Tav. XLIV]
122
123
124

125 [Tav. IL]

126

127 [Tav. XLVII-XLVIII]

127¹

personaggi ben precisi e probabilmente ben noti a quell'epoca, uno dei quali regge sotto il braccio il trattato alchemico di Raimondo Lullo. La datazione si basa sulle affinità cromatiche con il *Ciarlatano* (n. 121). Per una ripresa del tema si veda al n. 220.

96

126. IL CAVADENTI

ol/tl   63×50   f d   1759

Reca a tergo l'iscrizione: "Pietro Longhi 1759". Appartenne alla collezione veneziana degli eredi Ravà, alla cui asta fu venduto il 16 maggio 1967.

127. NEGLI ORTI DELL'ESTUARIO. Venezia, Ca' Rezzonico (n. 1300)

ol/tl   62×50   *1759*

Già a Venezia in proprietà Morosini. La scena è ambientata in un'isola dell'estuario posta tra la Certosa e le Vignole, come fa supporre la posizione degli edifici sul fondo (il forte di Sant'Andrea e la chiesa di San Nicolò). Databile — come giustamente crede il Moschini (1956) — vicino al *Cavadenti* Ravà (n. 126), di cui condivide l'atmosfera e l'attenzione al paesaggio lagunare.

Il Valcanover (1956) segnala un disegno preparatorio parziale al Museo Correr (n. 445; foto 127¹).

128. IL RIDOTTO. Segromigno Monte, eredi Salom

ol/tl   56×67   1760*

La composizione è ambientata nel ridotto di Ca' Giustiniani, prima dei lavori di restauro operati dal Maccaruzzi nel 1768. Deriva sicuramente dall'omonimo dipinto di Francesco Guardi (si veda " Classici dell'Arte - 71", n. 55), databile verso il 1750. A. Longhi incise l'opera in esame verso il 1760, che costituisce pertanto il termine *ante quem*.

Un disegno del Kupferstichkabinett di Berlino (foto 128¹) si riferisce a due 'baùte' in secondo piano (Moschini, 1956).

129. c. s. Venezia, Pinacoteca Querini Stampalia (n. 19.273)

ol/tl   61×49   1760*

La datazione è suggerita come per il n. 130, dalla somiglianza delle due figure in primo piano con quelle analoghe del *Ciarlatano* (n. 121). Per il 'ridotto' in cui la scena è ambientata si veda al n. 128.

130. c. s. Venezia, Pinacoteca Querini Stampalia

ol/tl   60×47   1760*

Già a Venezia nella collezione Donà delle Rose. Ripete, con qualche variante, il n. 129.

131. c. s. Bergamo, Accademia Carrara

ol/tl   61×49   1760*

Già a Bergamo in proprietà Lochis. Da accostare ai n. 129 e 130.

132. COLLOQUIO TRA 'BAÙTE'. Venezia, Ca' Rezzonico (n. 1313)

ol/tl   62×51   *1760

Già a Venezia in proprietà Morosini. La datazione si presenta particolarmente ardua: in base comunque alla forte caratterizzazione dei personaggi (che ci fa pensare alla ritrattistica del Nazzari e di Alessandro Longhi) tipica del gruppo dei *Ridotti* alla fine del decennio 1750-60, è possibile datare l'opera entro questo periodo.

133. I GIOCATORI DI CARTE. Milano, Galleria d'Arte Moderna

ol/tl   60×47   *1760*

Già a Venezia nella raccolta Papadopoli, quindi a Milano in proprietà Grassi. Può essere accostato per stile e cronologia ai *Ridotti* (n. 129-131).

134. LA TOELETTA DELLA DAMA. Chicago, Art Institute (Erskine Miles)

ol/tl   56,9×49,3   1760*

Insieme con il n. 135 può essere datato, per l'affinità con il n. 111, verso la fine degli anni Cinquanta, contrariamente all'opinione del Moschini (1956) che porrebbe entrambi i dipinti nel periodo precedente, attorno al 1741.

Al Museo Correr di Venezia si conserva (n. 449) un disegno preparatorio parziale (foto 134¹).

135. L'AMMALATA. Zurigo, propr. priv.

ol/tl   55×43   1760*

Già nella collezione Feilchenfeld; fu esposto nel 1955 a Zurigo. Si veda anche al n. 134.

136. CLEMENTE XIII REZZONICO CON I NIPOTI. Venezia, Ca' Rezzonico (n. 403)

ol/tl   52×50   *1760*

Già presso Teodoro Correr a Venezia. Raffigura il papa veneziano insieme con i nipoti Carlo e Ludovico Rezzonico e con la moglie di quest'ultimo, Faustina Savorgnan. La datazione può essere posta tra il 1758 (anno dell'elevazione di Clemente XIII) e il 1762 (anno in cui Ludovico Rezzonico fu nominato procuratore). L'attenzione con cui sono eseguiti i ritratti, tipica di questo periodo (si veda anche al n. 132) conferma la datazione dal punto di vista stilistico.

137. GENTILUOMO. Bergamo, propr. priv.

ol/tl   44×36×   *1760

Deve essere accostata al n. 138. Notevole per il delicato rapporto cromatico tra il grigio argenteo della veste dell'effigiato e il verde del fondo.

138. DAMA

ol/tl   48,3×35,6   *1760

128

128¹

129

130

131

132

133

134

134¹

135

136

137

138

139

Già nella collezione Gambara di Brescia, quindi a New York presso le Newhouse Galleries, ultima ubicazione nota. Può essere collocato nella serie di ritratti che comprende anche il *Clemente XIII* (n. 136).

139. IL GIGANTE MAGRAT. Venezia, Ca' Rezzonico (n. 1289)

tl 61×50 *1760

Già a Venezia presso la collezione Morosini. Un cartiglio sul muro in alto a destra reca l'iscrizione: "Vero Ritratto del / Gigante Cornelio / Magrat Irlandese / Venuto in Venezia / l'anno 1757, nato il I / gennajo del 1737 alto / piedi 7 e pesa L. 420. / Dipinto per commissione del / N. H. Giovanni Grimani / dei Servi Patrizio Veneto". Il committente è lo stesso del n. 78. Dal punto di vista stilistico i toni bruni e il tocco ricco di materia preludono già ai modi del periodo 1760-70. Si veda anche al n. 196.

140. LA CACCIA IN LAGUNA. Venezia, Pinacoteca Querini Stampalia

ol/tl 57×74 *1760*

Già presso la collezione Donà delle Rose a Venezia. Il cacciatore (secondo il Lorenzetti [1934] si tratta di un membro della famiglia Barbarigo) usa un inconsueto tipo di arco che lancia palle di terracotta (custodite nel cestello a prua dell'imbarcazione).

Un disegno preparatorio si trova al Museo Correr (n. 475; foto 140¹).

141. c. s. Milano propr. priv.

ol/tl 44×63,5 *1760*

Già a Londra presso la Galleria O'Nians. Versione del n. 140, eseguita, con dimensioni diverse, simultaneamente alla prima.

Un disegno preparatorio si trova al Museo Correr di Venezia (n. 476; foto 141¹).

142. IL CAFFÈ. Fullerton, Norton Simon Museum of Art

ol/tl 62×49 *1760*

Già a Firenze nella raccolta Gambardi, quindi a Padova presso Freschi e presso Miari, nuovamente a Firenze in proprietà Volpi; quindi a New York nella collezione Perera e a Londra presso la Hallsborough Gallery. La datazione approssimativa si fonda sull'autoritratto del Longhi, effigiato in secondo piano, a sinistra, nell'atto di disegnare: la fisionomia dell'artista è infatti simile a quella che appare nei ritratti incisi da Alessandro Longhi (1761) e da ignoto (1766). Apre, con i n. 143-145, una serie di 'conversazioni' del decennio 1760-70, caratterizzate dal colore sonoro e armonioso.

Un disegno preparatorio per la figura del pittore è conservato a Venezia, Museo Correr (n. 553; foto 142¹).

143. I GIOCATORI DI CARTE. Monaco, Alte Pinakothek

ol/tl 62×49 *1760*

Condivide le vicende storiche e la datazione del n. 142.

Il Valcanover (1956) segnala un disegno per la figura del gentiluomo a Venezia, Museo Correr (n. 491 r; foto 143¹).

144. CONVERSAZIONE FAMILIARE

tl 61×49 *1760*

Condivide le vicende storiche e la datazione del n. 142. Non concordiamo con l'Arslan (*Di Alessandro e Pietro Longhi*, "Emporium" 1943) secondo cui sarebbe in relazione con l'incisione del Faldoni intitolata *Il caffè della Mira* del 1748. Il clima fastoso della scenetta è accentuato dai sonanti accordi di verde e di grigio, contro la vestaglia rosso carminio del gentiluomo.

145. Il CONCERTO DI SPINETTA. Saint-Moritz, propr. priv.

ol/tl 62×49 *1760*

Condivide le vicende storiche e la datazione del n. 146. Lo spartito sullo strumento a destra reca l'iscrizione: "Pupille amabili"; sulla parete un dipinto che ha per tema le 'Figlie di Lot'. Inaugura una serie di 'lezioni di musica', notevoli per la caratterizzazione spiritosa dei personaggi e l'atmosfera assorta del colore.

146. CONVERSAZIONE TRA GENTILUOMINI. Stanford, University Museum

ol/tl 61×51 *1760*

Già a Londra in proprietà Winbourne e quindi Mortimer C. Leventritt. La datazione si fonda sul probabile autoritratto (terza figura da destra), assai simile a quello del n. 146. La figura del vecchio seduto in primo piano a sinistra si può ritrovare in altra opera (si veda al n. 148).

147. IL PITTORE NELLO STUDIO. Stanford, University Museum

ol/tl 61×51 *1760*

Già a Londra in proprietà Winbourne. I toni pastello che lo caratterizzano inducono a datarlo attorno alla fine del sesto decennio.

Un disegno preparatorio si trova a Venezia, Museo Correr (n. 438; foto 147¹).

148. IL CAFFÈ

1760

Già presso la collezione Miari di Padova, ultima ubicazione nota. Ha in comune con i n. 143-145 il tema (si tratta infatti di 'conversazioni') oltre che la provenienza: anche sulla base della riproduzione fornita dal Ravà (1927) è possibile datarlo attorno al 1760.

149. IL CONCERTO DI MANDOLINO

ol/tl 60×47 *1760*

Già a Venezia nella collezione Papadopoli, non se ne conosce l'attuale ubicazione. Sulla base della riproduzione pubblicata dal Ravà (1923) può essere accostata alle 'conversazioni' datate attorno al 1760 (n. 143-145).

150. LA LEZIONE DI MUSICA. Baltimora, Walters Art Gallery

ol/rame 45×57,8 *1760*

L'inconsueto supporto costituisce forse una delle ragioni dell'incisiva finezza del dipinto, degno di un maestro olandese del Seicento. Nella sua fase tarda, il Longhi avvicina

140

140¹

141

141¹

142

142¹

144 [Tav. XL]

145

143

143¹

146

148

147

147¹

149

150

151

151¹

152

153

154 [Tav. LI]

154¹

155 [Tav. L]

155¹

155²

156

156¹

157 [Tav. LIII]

158 [Tav. LII]

159

spesso il mondo del teatro, forse per commissione dei protettori di quelle reputate artiste. Si pensi infatti alla teletta di Petworth House (n. 213) o alla *Danzatrice Binetti* degli eredi Crespi (n. 216). Qui la seduzione è più sottile, e tanto accurata la fattura, da giustificare in qualche modo l'errore dei vecchi catalogatori, che — a quanto riferisce lo Zeri — avevano creduto che il dipinto fosse francese e rappresentasse la visita di Voltaire alla sua amante (*Italian pictures discovered*, "Apollo" Christmas 1966).

151. LA BALIA. Londra, propr. priv.

ol/tl 58×48 *1760*

Già a Londra in proprietà Sykes e quindi Pakenham insieme col n. 152. Venduto da Christie il 14 dicembre 1964. Può essere accostato ai n. 142-145.

Un disegno preparatorio per il cameriere, a destra, si trova a Venezia, Museo Correr (n. 509; foto 151¹).

152. LA PROVA DI CANTO. Berlino, Staatliche Museen

ol/tl 58,5×47 *1760*

Recentemente acquistato sul mercato antiquario di Londra, il dipinto trova collocazione fra le suggestive "conversazioni" del sesto-settimo decennio. Alla parete si osserva un dipinto di soggetto satiresco, forse del Carpioni.

153. RITRATTO DI FAMIGLIA. Venezia, Barnabò

ol/tl 61×49 *1760*

Già a Venezia nella collezione Brass. Da accostare ai n. 142-147, di cui ricorda il colorismo vivace e l'armonia delle luci.

154. LA VISITA IN 'BAÙTA'. Venezia, Ca' Rezzonico (n. 2252)

ol/tl 62×50 *1760*

Come giustamente nota Moschini (1956) si scosta leggermente dal gruppo delle 'conversazioni' (n. 153, 163 ecc.) per la diversa, più brillante soluzione cromatico-luministica. Databile tra il sesto e il settimo decennio. Restaurato nel 1946 da A. Lazzarin.

Un disegno preparatorio per l'uomo seduto (foto 154¹) si trova al Museo Correr (n. 555).

155. IL PARRUCCHIERE. Venezia, Ca' Rezzonico (n. 128)

ol/tl 63×51 *1760*

Reca nel fondo, sul ritratto del doge Ruzzini (morto nel 1735, forse un antenato della dama raffigurata), la scritta: "Carolus Ruzini Dux. Ven^m CXIII Creatus Junii MDCCXXXII". Già a Venezia in proprietà di Teodoro Correr. Stilisticamente affine al n. 154. Restaurato nel 1946 da A. Lazzarin.

Al Museo Correr (n. 441 e 539), due studi per il parrucchiere (foto 155¹) e per la balia con il bambino (foto 155²).

156. LA VISITA DEL FRATE. Venezia, Ca' Rezzonico (n. 1303)

ol/tl 61×50 *1760*

Apparteneva alla raccolta Morosini di Venezia. Databile intorno al 1760 per l'affinità con il n. 164, che propone la mede-

sima figura femminile. Restaurato nel 1946 da A. Lazzarin.

Al Museo Correr un disegno preparatorio per la figura del religioso (foto 156¹).

157. LA DAMA DALLA SARTA. Venezia, Ca' Rezzonico (n. 1310)

ol/tl 61×52 *1760*

Già in proprietà Morosini a Venezia. Stilisticamente affine al n. 158 e quindi databile tra il sesto e il settimo decennio. Restaurato nel 1946 da A. Lazzarin.

158. LA TOELETTA. Venezia, Ca' Rezzonico (n. 131)

ol/tl 61×50 *1760*

Già a Venezia nella collezione di Teodoro Correr. Prossimo per i toni brillanti del colore ai n. 154 e 155. Restaurato nel 1946 da A. Lazzarin.

159. LO SVENIMENTO. Segromigno Monte, eredi Salom

ol/tl 70×54 *1760*

Versione tarda del n. 40. Databile intorno al 1760 per i toni sfumati e per le proporzioni delle figure, più piccole rispetto all'ambiente.

160. IL GIOCO DELLA PENTOLA. Segromigno Monte, eredi Salom

ol/tl 68×56 *1760*

Come il n. 159 è la replica tarda di un dipinto di tema analogo (n. 41).

161. LA PETTINATRICE. Venezia, Ca' Rezzonico (n. 132)

ol/tl 62×50 *1760*

Apparteneva alla raccolta di Teodoro Correr a Venezia. Databile intorno al 1760 per il tema, accostabile al gruppo delle 'toelette', anche se presenta alcune affinità con il n. 133 nella pennellata e nei toni bruni.

162. IL SOLLETICO. Venezia, Rubin de Cervin Albrizzi

ol/tl 60×48 1760*

Versione tarda del n. 91.

Al Kupferstichkabinett di Berlino è conservato il disegno preparatorio per il giovane addormentato (foto 162¹).

163. LA VISITA DELLA DAMA. Milano, A. Crespi

ol/tl 60×50 *1760*

Databile tra il sesto e settimo decennio come il n. 164, nel quale fu esposto nel 1948 a Zurigo alla mostra "Kunstschätze der Lombardei".

Si considera non strettamente collegabile al dipinto il disegno conservato a Venezia, Museo Correr indicato da Moschini (n. 509), che si ricollega invece al n. 151 (si veda).

164. LA LETTURA. Milano, A. Crespi

ol/tl 60×50 *1760*

Si veda al n. 163. Il tema apparentemente affine al n. 86 farebbe pensare all'incontro in un salotto di nobili 'illuminati'. La figura femminile intenta alla lettura è del tutto simile a quella del n. 156.

165. RITRATTO DI FAMIGLIA. Verona, Museo di Castelvecchio

ol/tl 43×60 1760*

Apparteneva alla galleria Pompei pure a Verona. Rinvenuto di recente nei depositi del museo; l'attribuzione a Pietro Longhi si deve a L. Magagnato. Per quanto riguarda il colore sembrerebbe affine al n. 109 ma il tipico rimpicciolimento delle figure suggerisce una cronologia più tarda, dopo il 1760.

166. c.s. Segromigno Monte, eredi Salom

ol/tl 80×98 1760-65

Databile, come il n. 167, al settimo decennio. Il ritratto, nel fondo, raffigura il doge Sebastiano Venier.

Un disegno preparatorio per la balia è conservato a Venezia, Museo Correr (n. 483; foto 166¹).

167. LA FAMIGLIA ALBRIZZI. Venezia, Rubin de Cervin Albrizzi

ol/tl 115×160 1760-65

Apparteneva alla raccolta Albrizzi di Venezia. Situabile senz'altro nel settimo decennio, sia dal punto di vista cromatico sia per la tipica composizione a figure rimpicciolite.

Al Museo Correr (n. 488) un disegno preparatorio per i bambini (foto 167¹).

168. MONACI, CANONICI E FRATI DI VENEZIA. Venezia, Pinacoteca Querini Stampalia (n. 21.275)

ol/tl 61×49 f d 1761

Reca a tergo l'iscrizione "Petrus Longhi pin. t 1761". Gli ordini religiosi raffigurati sono

160

161

162

162¹

163

164

166 [Tav. LIX]

166¹

165

167

167¹

descritti, in chiave ironica, in un foglio dalla grafia settecentesca, originariamente incollato sul retro della tela. Pallucchini (1951-52) riconosce nel frate in primo piano padre Lodoli, cultore d'estetica. L'opera apre il nuovo decennio artistico del Longhi rivelandosi di massima importanza sia dal punto di vista cromatico-luministico che per l'impegno ritrattistico.

169. LA PREDICA IN FAMIGLIA

ol/tl 62×50 *1761

Stilisticamente e iconograficamente affine al n. 168. Dal punto di vista cromatico si accosta alle opere migliori del decennio precedente, come i *Sacramenti* (n. 93-99).

170. LA PUNIZIONE DELLO SCOLARO. Genova, Trucchi

ol/tl 61×49 *1761

Situabile cronologicamente tra il sesto e il settimo decennio in base all'affinità stilistica con i n. 93-99.
Al Museo Correr di Venezia, un disegno preparatorio per il precettore (n. 538; foto 170¹).

171. LE TENTAZIONI DI SANT'ANTONIO. Venezia, Pinacoteca Querini Stampalia (n. 18.272)

ol/tl 60×50 *1761

Alquanto al di fuori dei consueti schemi longhiani (a parte la figura femminile), documenta un aspetto tipico del periodo tra il 1756 (anno in cui il Longhi inizia a insegnare all'Accademia di pittura) e il 1766 (in

cui termina l'insegnamento alla scuola di casa Pisani; si veda la *Documentazione*): periodo in cui più sensibili si fanno gli influssi accademici, nell'ideazione e nella composizione. La cronologia è suggerita da una incisione di A. Longhi del 1761 che contiene elementi chiaramente desunti dall'opera in esame.

172. PITAGORA FILOSOFO. Venezia, Gallerie dell'Accademia (n. 479)

ol/tl 130×91 f *1762*

Reca la firma: in basso a sinistra "Pietro Longhi". Si tratta del dipinto che l'artista presentò per l'ammissione alla Veneta Accademia. Il Longhi, infatti, dopo essere stato prescelto in un primo gruppo di accademici, poiché ritardava la consegna dell'opera che, secondo lo statuto, era tenuto a presentare, il 14 novembre 1762 ricevette a casa una tela con l'ingiunzione di eseguire il dipinto entro sei mesi. Conservato alla

vecchia Accademia fino al 28 aprile 1807, quando venne preso in consegna dall'Edwards. Restaurato da P. Cibin nel 1859. Il titolo è quello apposto all'incisione rovesciata dovuta ad Alessandro Longhi.

173. CONTADINO CHE BEVE PRESSO UNA FANCIULLA ADDORMENTATA

*1762

Menzionato, insieme con il n. 174, nel gruppo di opere acqui-

state nel 1762 da Giorgio III (Levey, 1964). I due dipinti appartenevano alla raccolta del console Smith di Venezia, e non sono più ricordati dopo questa data.

174. LA FILATRICE

*1762

Si veda al n. 173.

175. IL CASOTTO DEL LEONE. Venezia, Pinacoteca Querini Stampalia (n. 20.274)

168 [Tav. LX]

169

170

170¹

171

172

175 [Tav. LXIII]

176

177 [Tav. LXI]

178

179

180

181

182

ol/tl 61×50 f d 1762

In basso, sotto il palco, reca l'iscrizione: "Il Casotto Del Lione / Veduto in Venezia / Nel Carnevale Del M762 / Dipinto Dal Naturale / Da Pietro Longhi". La presenza, tra i personaggi del dipinto, del figlio dell'artista (ritratto di fianco alla porticina d'accesso al palcoscenico), conferma la data in quanto Alessandro appare identico alla stampa contenuta nelle sue Vite (1761).

176. IL CASOTTO DEL BORGOGNA. Segromigno Monte, eredi Salom

ol/tl 75×58 *1762*

Reca nel fondo l'iscrizione: "Questo / È el Casotto / Del / Borgogna". Nonostante le proposte di una datazione anticipata, come il periodo intorno al 1745 suggerito dall'Arslan (1943), si suppone collocabile cronologicamente accanto al Casotto del leone (n. 175) anche in base a una stampa eseguita da Alessandro Longhi dopo il 1760.

177. FRANCESCO GUARDI. Venezia, Ca' Rezzonico (n. 761)

ol/tl 132×100 f d 1764

Reca a tergo l'iscrizione: "Fran.co de Guardi Pietro Longhi P. 1764". Apparteneva alla raccolta di Teodoro Correr. L'opera si rivela di fondamentale importanza in quanto costituisce uno dei rari ritratti eseguiti dall'artista e l'unica immagine nota di Francesco Guardi, qui immortalato nell'atto di dipingere una veduta del Palazzo Ducale da San Giorgio Maggiore, simile a quella distrutta nel 1947 al museo di Strasburgo (si veda "Classici dell'Arte - 71", n. 163). La data 1764 permette di collocare nel settimo decennio altri ritratti (n. 178, 181, 182) caratterizzati dalla medesima delicatezza di tratto e leggibili, per così dire, come 'ingrandimenti' delle consuete tele di piccole proporzioni.

178. GENTILUOMO

1764

Apparteneva forse alla famiglia Zen di Venezia; attualmente potrebbe trovarsi in una collezione privata statunitense. Si suppone databile intorno al 1764, in base all'analogia stilistica con i n. 177 e 179.

179. IL PROCURATORE LUDOVICO MANIN. Udine, Museo Civico

ol/tl 244×155 f d 1764

Reca sul verso la scritta: "P. Longhi fecit 1764". Apparteneva alla raccolta Manin nella villa di Passariano. Non è accettabile l'ipotesi di una collaborazione tra Pietro e Alessandro: l'opera è da attribuire completamente al padre nonostante le cattive condizioni della tela e i ritocchi nelle zone periferiche. A questo proposito il Moschini (1956; 1963) indica giustamente una citazione del diarista Pietro Gradenigo data 30 aprile 1764, che attribuisce l'opera al solo Pietro. Inciso nello stesso anno d'esecuzione dall'Orsolini.

180. VIOLINISTA. New York, Manning

ol/rame 10,2×8,3 *1764*

Apparso per la prima volta a Detroit, alla mostra veneziana (Richardson, 1952). Accostabile ai ritratti datati intorno al 1760 che caratterizzano il periodo della formazione, accanto al Longhi, del figlio Alessandro.

181. IL GASTALDO DUCALE. Genova, Trucchi

ol/tl 98×73 *1764*

Sui fogli arrotolati si notano numerose scritte, tra le quali la qualifica di "Gastaldus Ducalis". L'opera echeggia i modi di Alessandro Longhi.

182. GENTILUOMO POLACCO. Venezia, Brass

ol/tl 104×75 *1764*

Ascrivibile a Pietro Longhi, nonostante i dubbi del Moschini (1932) che non esclude la possibilità che si tratti di un'opera di Alessandro. In base all'affinità con il n. 177 può essere datato intorno al 1764. Per la precisione dei dettagli e de' chiaroscuri, il dipinto richiama il Longhi delle migliori 'conversazioni'.

183. IL CIARLATANO. Londra, propr. priv.

ol/tl 61×49 *1765*

Già a Firenze in proprietà Gambardi; quindi nelle raccolte Freschi e Miari di Padova; poi nelle collezioni Volpi di Firenze e Perera di New York. Acquistato a una vendita Sotheby (19 aprile 1967). Nel fondo appare un'iscrizione in lode del doge Pier Alvise Mocenigo che fu eletto nel 1763.

184. c. s.

62×51 *1765-70*

Già nella collezione Rawdon Brown a Venezia. Databile, insieme al n. 185, nel settimo decennio, poiché in entrambi compare un 'evviva' al doge Alvise Mocenigo, evidentemente il IV di tal nome, che governò dal 1763 al 1778. Le due tele, singolarmente vivaci di colore, hanno la caratteristica di riproporre alcuni personaggi già noti da alcuni dei più famosi dipinti del decennio precedente: quasi che il pittore, particolarmente sollecitato dal suo committente, avesse voluto dargli una specie di antologia dei propri capolavori. Troviamo così nel Ciarlatano la reminiscenza di quelli di Segromigno Monte e di Londra (n. 122, 123) mentre la dama e il gentiluomo mascherato corrispondono ai gruppi del Ciarlatano di Ca' Rezzonico (n. 121) e dei Ridotti Querini (129, 130). La figura del popolano che vende le mele riapparirà invece più tardi nel Casotto del leone della Querini (n. 175).

185. L'INDOVINO

62×51 *1765-70*

Pendant del n. 184, di cui condivide le vicende storiche. Molteplici i riferimenti a pitture note, pur sempre con varianti molto libere: all'Indovina di Ca' Rezzonico per le due maschere centrali (n. 81), e all'Indovino delle Gallerie per il contadino che riceve il responso (n. 53; disegno preparatorio al Museo Correr, n. 6058 a rovescio). Il venditore di frutta appare già nell'Indovina di Londra (n. 117) e sarà ripreso nel Ciarlatano già Bisacco (n. 223). Pur legato a tanta attenzione compositiva, il Longhi non perde di vista peraltro l'effetto unitario delle tele, che risultano fra le sue più belle, soprattutto notevoli per la brillantezza del colore e il finissimo disegno.

186. LA MODISTA. Cambridge (Mass.), Fogg Art Museum (n. 118)

ol/tl 59×48 *1765-70*

Donato al museo dalla Grenville L. Winthrop. Preso a modello per numerose repliche, la migliore delle quali si trova a Milano in proprietà A. Crespi.

187. LA FILATRICE. Boston, Museum of Fine Arts

ol/tl 62×51 1765-70

Appartenuto successivamente alle collezioni Wanamaker, Weitzner e Holmes di Filadelfia; donato al museo da Edward Jackson Holmes. Ascrivibile al Longhi nel settimo decennio ma collegato a numerose opere precedenti, in particolare alle Lavandaie (n. 14) di Ca' Rezzonico.

Un disegno preparatorio per la ragazza che fila è conservato al Museo Correr di Venezia (n. 571; foto 187¹).

La caccia in valle

Si tratta di un gruppo di sei dipinti eseguiti per la famiglia Barbarigo e pervenuti alla Pinacoteca Querini Stampalia dalla collezione Donà delle Rose pure di Venezia. La datazione, spesso molto anticipata dalla critica (l'Arslan suggerisce gli anni intorno al 1740) viene attualmente spostata alla fase matura dell'attività artistica del Longhi, dal Valcanover (1956) addirittura dopo il 1772. A nostro parere, la serie fu dipinta certo nel settimo decennio, come indica l'evidente richiamo alla maniera di Rembrandt, venuto di moda, con Nogari e altri artisti, proprio in quell'epoca. L'intero gruppo, a esclusione della Partenza per la caccia (n. 192), è stato inciso dal Pitteri in acqueforti che ne traducono efficacemente le doti coloristiche (Pignatti, 1973).

188. L'ARRIVO DEL SIGNORE. Venezia, Pinacoteca Querini Stampalia

ol/tl 62×50 *1765-70*

Un disegno preparatorio (foto 188¹) ci è stato cortesemente segnalato da John Gere al British Museum di Londra (n. 1938-3-12-1).

189. LA PREPARAZIONE DEI FUCILI. Venezia, Pinacoteca Querini Stampalia

ol/tl 61×50 *1765-70*

190. LO SCARICO DEL MATERIALE. Venezia, Pinacoteca Querini Stampalia

ol/tl 61×50 *1765-70*

191. IL SORTEGGIO DEI CACCIATORI. Venezia, Pinacoteca Querini Stampalia

ol/tl 61×49 *1765-70*

183

184

185

186

187

187¹

188 [Tav. LIV]

188¹

189 [Tav. LV]

190

192 [Tav. LVII]

191 [Tav. LVI]

191¹

193 [Tav. LVIII]

193¹

194

Disegno preparatorio (foto 191¹) per il personaggio seduto in primo piano, al Museo Correr (n. 536).

192. LA PARTENZA PER LA CACCIA. Venezia, Pinacoteca Querini Stampalia

ol/tl 61×50 *1765-70

193. LA POSTA IN BOTTE. Venezia, Pinacoteca Querini Stampalia

ol/tl 61×49,5 *1765-70

Disegno preparatorio (foto 193¹) per i tiratori in secondo piano, al Museo Correr (n. 477).

194. IL CONTEGGIO DELLA CACCIAGIONE. Venezia, Pinacoteca Querini Stapalia

ol/tl 61×50 *1765-70

195. CONTADINI ALL'OSTERIA. Venezia, Pinacoteca Querini Stampalia

ol/tl 60×49 *1765-70*

Apparteneva alla collezione Donà delle Rose di Venezia. Databile intorno al 1765-70 per l'affinità con il ciclo della *Caccia in valle* (n. 188-194).

Si tratta dell'opera del Longhi di cui si conosce il maggior numero di disegni preparatori (foto 195¹ - 195⁵) conservati al Museo Correr (n. 466, 467, 468, 469, 471).

196. IL GIGANTE MAGRAT E IL RINOCERONTE. Venezia, propr. priv.

ol/tl 50,5×64 1765-75

Fa serie con i n. 197-199. Originariamente i dipinti appartenevano forse alla raccolta Mapelli di Bergamo. Costituiscono un'interessante esempio di repliche autografe, nelle quali il Longhi, su commissione, riunisce vari personaggi ed elementi iconografici delle opere precedenti. Il dipinto in esame riunisce i temi dei n. 78 e 139, riportando addirittura le iscrizioni originarie, anche se approssimativamente.

197. LA FURLANA. Venezia, propr. priv.

ol/tl 50,5×62,5 1765-75

Si veda al n. 196. Anche in questo caso si trovano riuniti vari personaggi della precedente produzione longhiana: il tema più volte riproposto della *Furlana* (n. 68) viene qui ad accostarsi alla contadina seduta del n. 49 e al gentiluomo del n. 109. I toni bruni e carichi del colore simili a quelli dei n. 221-224, suggeriscono una datazione tra il settimo e l'ottavo decennio.

198. LA POLENTA. Venezia, propr. priv.

ol/tl 50,5×64 *1765-75*

Si veda al n. 196. Pubblicata dal Valcanover (1968), con una datazione nell'ottavo decennio. Riunisce motivi da dipinti giovanili, specialmente del n. 16.

199. L'ALLEGRA COPPIA. Venezia, propr. priv.

ol/tl 50,5×64 *1765-75*

Si veda al n. 196. Pubblicata dal Valcanover (1968), con una datazione nell'ottavo decennio. Riunisce motivi da diversi dipinti, specialmente dai n. 15 e 156.

200. MATILDE QUERINI DA PONTE. Algeri, Musée National

ol/tl 84×73 f d 1772

Reca, sul verso, la scritta: "Matilde Querini nata da Ponte, Ritratto dipinto da Pietro Longhi, verso l'anno MDCCLXXII". Fa gruppo con i n. 201 e 202

con cui si trovava a Londra in proprietà Rawdon Brown e in seguito Cailleux a Parigi.

201. STEFANO QUERINI. Parigi, Cailleux

ol/tl 83×66,5 f d 1772

Nel verso, su un'antica etichetta: "Stefano Querini figlio di Pietro Antonio e Matilda da Ponte e fratello di Alessandro. Ritratto dipinto da Pietro Longhi l'anno MDCCLXXII". Il dipinto rivela un ritorno agli

195

195¹

195³

195⁵

195²

195⁴

196

197

198

199

200

201

202

203

204

schemi classicisti che segna un'involuzione rispetto alla libertà stilistica del n. 177. Si veda anche al n. 200.

202. MARINA QUERINI BEN-ZON

ol/tl 83×66 f d 1772

Si veda al n. 200. Alla "Mostra del ritratto italiano" di Firenze (1922, n. 218) appariva, sul retro, un'iscrizione su carta antica con il nome dell'effigiata, la firma e la data 1772 come i n. 200 e 201. La collezione Charmet Padoan di Venezia costituisce l'ultima ubicazione nota del dipinto.

203. GENTILUOMO IN VERDE. Milano, Orsi

ol/tl 81×65 *1772*

Stilisticamente affine ai ritratti Querini (n. 200-202).

204. GENTILUOMO. Treviso, Museo Civico Luigi Bailo

ol/tl 90×73 *1772*

Apparteneva alla raccolta Ser-

nagiotto Cerato. L'attribuzione al Longhi — indubbia anche per l'evidente prossimità del dipinto ai n. 200-202 — si deve al Moschini (1932).

205. L'ELEFANTE. Segromigno Monte, eredi Salom

ol/tl 66×53 f d 1774

Nel fondo, su un cartiglio, reca l'iscrizione: "Vero Ritratto del Elefante Condotto a Venezia l'anno 1774 Dipinto per mano di Pietro Longhi. Per commissione della N. D. Marina Sagredo Pisani".

206. BENEDETTO GANASSO-NI. Venezia, Ca' Rezzonico (n. 578)

ol/tl 42×26 f d 1774

Siglato sul verso: "P.L. 1774". Apparteneva alla collezione di Teodoro Correr, pure a Venezia. L'effigiato è stato riconosciuto da Valcanover (1954) tramite un ritratto firmato da Alessandro Longhi con la data 1774, conservato al Seminario di Feltre, città dove Benedetto Ga-

nassoni fu vescovo. Non crediamo accettabile l'ipotesi di Valcanover (1956) e Moschini (1956) secondo la quale il dipinto in esame sarebbe servito da 'bozzetto' per Alessandro; come invece suggerisce giustamente il Pallucchini (1951-55), sembrerebbe che sia stato Pietro ad assimilare la vena ritrattistica più vivace del figlio. Si veda anche al n. 23.

207. EDWARD WORTLEY MON-TAGU. Venezia, Viancini

ol/tl 52×67 *1770-75*

L'attribuzione al Longhi è recente (Pignatti, 1972). Siamo certamente in un periodo molto avanzato, che porteremmo almeno verso il 1770 per l'analogia con il Ritratto Ganassoni o le tele a fondo bruno rossastro, come la Visita al convento o la Visita all'ammalato di Ca' Rezzonico (n. 206, 208, 209). Pure, in questo dipinto prevalgono i toni riccamente colorati del sofà su cui siede l'effigiato, noto cultore di scienze qui raffigurato in veste di bey

turco, elegantemente miniato come spesso si vede nei più noti dipinti longhiani. Lo studio della fisionomia rivela quei caratteri realistici che identificano la maniera 'borghese' del periodo tardo.

208. LA VISITA AL CONVENTO DEI CAPPUCCINI. Venezia, Ca' Rezzonico (n. 2251)

ol/tl 61×50 *1774*

Databile intorno al 1774 in base all'analogia con il n. 206. Nel fondo è visibile, appeso alla parete, lo stemma dell'ordine dei cappuccini. Dal punto di vista cromatico rientra nei modi di certa produzione tarda dell'artista, talvolta messa in dubbio dalla critica.

209. LA VISITA ALL'AMMALA-TO. Venezia, Ca' Rezzonico (n. 401)

ol/tl 60×47 *1774*

Già a Venezia in proprietà di Teodoro Correr. Cromaticamente prossimo al n. 208 e quindi situabile cronologica-

mente attorno al 1774. Giudicato di bottega dal Moschini (1956).

210. CONTADINI CHE GIOCA-NO A CARTE. Ferrara, Paulucci

ol/tl 61,5×50 f d 1775

Già a Venezia nella collezione Gatti Casazza. La scritta: "Pietro Longhi 1775", recentemente scoperta dal Valcanover (1956) sul verso originale della tela, costituisce un documento di eccezionale importanza per la datazione di numerosi dipinti di soggetto popolare che, in passato, venivano accomunati alle prime opere dell'artista (Arslan, 1943). Infatti si tratta di una ripresa di temi giovanili, distinguibili peraltro dal colore più soffuso e scuro.

211. JOHN MURRAY E LA SUA FAMIGLIA

1776

Già a Venezia nella raccolta del 'residente' Murray. Menzionato nella vendita Smith di

205

206 [Tav. LXII]

207

208

209

210

212

213

214

215

216

217

218

219 [Tav. LXIV]

220

Londra il 17-5-1776 (Levey, 1959). Mancano ulteriori notizie.

212. LA CONFESSIONE. Bergamo, Guffanti Scotti

ol/tl 59×46 *1777*

Il tema trattato si accosta alla serie dei *Sacramenti* (n. 93-99) anche se, in base all'affinità di stile con i n. 220-224, la composizione va annoverata tra le opere tarde dell'artista. Forse identificabile con il dipinto omonimo, che, secondo il Fogolari (1913) fu esposto alla mostra degli accademici veneziani organizzata durante la fiera dell'Ascensione del 1777.

213. LA LEZIONE DI CANTO. Petworth, Petworth House, Wyndham

ol/tl 54×71,7 1770-80

Già nella sede attuale con l'attribuzione a Hogarth. Reca la scritta: "La serva padrona" sullo spartito, e la sigla "L. v. G." sulla spinetta. Situabile nell'ottavo decennio.
Una versione del dipinto è conservata nel Museum of Art di Filadelfia.

214. I TRE BUONTEMPONI. Roma, Morandotti

ol/tl 60×50 1770-80

Già a Venezia in proprietà Brass. Stilisticamente situabile nell'ottavo decennio, per le fisionomie pungenti e il tocco frazionato del pennello.

215. IL BACIAMANO. Milano, propr. priv.

ol/tl 62×50,7 1770-80

Già a Venezia in proprietà Giovannelli. È risultata inesatta la notizia che questo dipinto si trovasse a Providence, dedotta dal testo del Valcanover (1956, n. 24) e inesplicabilmente da noi accettata per confusione con l'altra tela dello stesso museo (il *Pranzo di famiglia*, n. 92), per la quale vengono dati almeno altri due titoli: la *Tentazione* e il *Protettore* (Pignatti, 1968). La recente pulitura di A. Lazzarin l'ha restituita alla sua integrità, ridonandole tutto lo sfondo a seta damascata, che appariva precedentemente coperto (si confronti con Pignatti 1968, tav. 284).

216. LA DANZATRICE BINETTI. Milano, eredi M. Crespi

ol/tl 61×49 1770-80

Segnalata da Antonio Morassi. L'identificazione del tema è data dalla scritta sulla stampa appesa alla parete di fondo: "Tel-le est la celebre Binettij; A qui le Ciel a departi / l'ame du Bal, e de la Dance; le don de voler en cadence". Il dipinto appare assai prossimo alla produzione longhiana dell'ottavo decennio.

217. QUINTETTO. Torino, propr. priv.

ol/tl 61×49 1770-80

Segnalato da Antonio Morassi. Situabile nel periodo finale dell'attività artistica del Longhi per il carattere 'borghese' della ritrattistica.

218. I LETTERATI IN BIBLIOTECA

ol/tl 60×48 1770-80

Già nella raccolta d'Atri a Parigi. Importante espressione della tarda ritrattistica.

219. LA CIOCCOLATA DEL MATTINO. Venezia, Ca' Rezzonico (n. 142)

ol/tl 60×47 1775-80

Apparteneva al fondo Correr (1830). Per la spiccata vena di umorismo si ritiene situabile fra il ritratto di *Benedetto Ganassoni* (n. 206) datato 1774 e la *Famiglia Michiel* (n. 238) datata intorno al 1780. Come spesso accade nella fase tarda dell'attività longhiana, anche in questo caso il colore steso ripetutamente sul disegno viene a sopperire alla minor fermezza della pennellata.

220. GLI ALCHIMISTI. Gazzada, Villa Cagnola

tl 59×48 f d 1779

Illustrato per la prima volta dal Ciardi (1965). All'inizio del Novecento, dopo un tentativo di trasportare il dipinto su nuova tela, la pellicola del colore venne ridotta in pezzi. Rimesso insieme dal Cavenaghi, presenta attualmente dimensioni minori. Dell'iscrizione posta sul catino in basso a destra, rimangono leggibili chiaramente solo le ultime due cifre: "[...] 79", che permettono di accostare il dipinto alla produzione longhiana della fine dell'ottavo decennio, in particolare ai n. 221-224.

221. LA FILATRICE

ol/tl 60×49 f d 1779

Già a Venezia nella collezione Fornoni Bisacco, insieme con i n. 222-224. Reca la scritta: "P. Longhi 1779". Ripresa tarda del tema del n. 58.

222. LA POLENTA

ol/tl 60×49 *1779*

Prossimo al n. 221 (cui si rimanda per l'ultima ubicazione nota), quindi databile intorno al 1779.

223. IL CIARLATANO

ol/tl 49×68 *1779*

Si veda al n. 221. Replica tarda di un tema spesso riproposto; prossimo al n. 123 (si veda anche al n. 185). Databile verso la fine dell'ottavo decennio.

224. LA FURLANA

ol/tl 49×68 *1779*

Si veda al n. 221. Replica tarda del n. 69.

225. GLI AVVOCATI. Padova, propr. priv.

ol/tl 60×48 *1779*

Situabile nell'ottavo decennio anche in base all'iscrizione sul muro di fondo in lode del doge Alvise Mocenigo IV, in carica dal 1763 al 1779. Il tema resta dubbio: sembrerebbe che il personaggio ai piedi del quale si legge: "Da quali angustie non liberommi Fortuna?" sia riuscito a sfuggire alle insidie tesegli in qualche processo.

226. LA PARTITA A CARTE INTERROTTA. Bergamo, propr. priv.

tv 48×60 *1779*

Segnalato per 1a prima volta dal Ravà (1923); da tempo ne era ignota l'ubicazione. Sembrerebbe far gruppo con il n. 225 per l'affinità di stile e di trama compositiva. Dal punto di vista cromatico rispecchia senz'altro la maniera tarda del Longhi.
Un disegno preparatorio per il giocatore in secondo piano (foto 226¹) è conservato a Venezia, Museo Correr (n. 559).

227. IL CAFFÈ. Firenze, propr. priv.

ol/tl 61×46 *1779*

Assai prossimo al n. 225 e databile quindi intorno al 1779.

228. SCENA ORIENTALE

ol/tl 61×148 *1779*

Sull'architrave del tempio reca l'iscrizione: "SE LA MECA È SACRA, NE SAI TU LA CAGION". Già nella raccolta Brass di Venezia. Databile intorno al 1779 per la somiglianza del gentiluomo e del prete con le figure dei due *Avvocati* (n. 225). Il tema allude al viaggio in Oriente del personaggio in primo piano.

229. BALLO CAMPESTRE

1779

Probabile autografo situabile alla fine dell'ottavo decennio. Le figure dei gentiluomini di fondo appaiono assai prossime a quelle degli *Avvocati* (n. 225).
Uno studio per la ragazza che danza si trova al Museo Correr di Venezia (n. 564; foto 229¹).

230. POETA CHE RECITA I SUOI VERSI. Port Sunlight, Lady Lever Art Gallery

ol/tl 48×61 *1779*

Illustrato per la prima volta da Watson (1964) con riferimento al disegno omonimo conservato al Museo Correr e ascritto da Byam Shaw (1933) ad Alessandro Longhi. Si propende, peraltro, ad accostare l'opera alla tarda produzione di Pietro Longhi (in particolare ai n. 225 e 238) anche se resta il problema della probabile confusione con i piccoli dipinti di Alessandro che tanto risentono della personalità paterna.

231. LA FAMIGLIA BAGLIONI

ol/tl 59×47,5 *1779*

Già a Bergamo in proprietà Baglioni e a San Bartolomeo di Crema nella collezione Stramezzi. Tra i personaggi raffigurati appare un pittore identificabile con lo stesso Pietro Longhi: calcolandone approssimativamente l'età se ne deduce la cronologia del dipinto intorno al 1779, convalidata, peraltro, dalla prossimità stilistica con i n. 232 e 233.

232. ADRIANA GIUSTINIAN BARBARIGO

tl f d *1779*

Sul verso della tela reca l'iscrizione: "Jeronimo Ascanio equiti Justiniano ejus reluctante matre Adriana Barbarigo Matrona omni Historiarum genere eruditissima Petrus Longhi qui celleri eam delinearit pennicillo DDDA 1779". Segnalato a torto da Ravà (1923) nella collezione Brass di Venezia.

233. c. s. Venezia, Ca' Rezzonico (n. 136)

221

222

227

223

224

225

226

226¹

228

229

229¹

103

230

231

232

233

234

104

235

236

237

238

ol/tl 58×45 *1779*

Replica con varianti del n. 232. Reca, in basso, i seguenti versi: "Faccia il cortese ciel che al cor risponda / tenero affetto che mai non s'estingue / tal che non trovi una simil seconda: / i lor cuori congiunge e li distingue". Raffigura la nobildonna mentre gusta la cioccolata in compagnia del figlio Geronimo Ascanio Giustinian. In alto a sinistra, sul tendaggio, appare lo stemma di famiglia. Databile verso il 1779 come il n. 232. Restaurato nel 1951 da S. Urban.

234. LA VISITA ALLA NONNA. Venezia, Curtis

ol/tl 60×48 *1779*

In base all'affinità con il n. 233 può essere datato intorno al 1779. Nel fondo è raffigurato un ritratto del doge Marcantonio Memmo, probabile antenato degli effigiati, che fu eletto nel 1512.

235. c. s. Bergamo, Accademia Carrara

ol/tl 61×49 *1780*

Già in proprietà Lochis, pure di Bergamo. Per la profondità psicologica che lo caratterizza, può essere datato intorno al 1780.

236. GLI USURAI

ol/tl 65×50 *1780*

Già a Venezia in proprietà di Nicolò Barozzi. Stilisticamente affine al n. 225, quindi situabile alla fine dell'ottavo decennio.

237. IL PRECETTORE DEI GRIMANI. Milano, Orsi

ol/tl 55×38 *1780*

Proviene dalla famiglia Grimani. Raffigura, molto probabilmente, l'educazione di un giovane di tale famiglia da parte di un precettore, forse identificabile con l'abate Melchiorre Cesarotti, che prestò servizio presso i Grimani dal 1760 al 1768. Il dipinto, peraltro, si rivela accostabile alle opere dell'ottavo decennio.

238. LA FAMIGLIA MICHIEL. Venezia, Pinacoteca Querini Stampalia

ol/tl 49×61 *1780*

Apparteneva alla raccolta Donà delle Rose, pure di Venezia. Vi si riconosce tutta la famiglia Michiel: al centro, accanto a Marc'Antonio, la madre Elena Corner; a lato, con i bambini e le sorelle Elena e Cecilia, appare la moglie Giustina Renier Michiel (autrice delle *Feste veneziane*). La tarda cronologia può essere stabilita in base all'età degli effigiati.

239. UNO SCRITTORE. Milano, Orsi

ol/tl 48×36 1780*

Assai prossimo al n. 238. Il personaggio non è stato identificato.

240. UN PRELATO. Milano, Orsi

ol/tl 48×35,5 1780*

Situabile nell'ultima fase dell'attività artistica di Pietro Longri per l'estremo realismo della composizione.

241. GIOVINETTA CHE RICAMA. Bologna, Morandi

ol/tl 39,6×29,5 1780*

Stilisticamente affine ai n. 239 e 240.

242. PITTORE. Venezia, Ca' Rezzonico (n. 231)

ol/tl 42×33 f d 1781

Reca la scritta in basso a sinistra: "P. L. 1781". Già in proprietà di Teodoro Correr. Molto discussa l'identificazione: è senz'altro da escludere l'ipotesi di un autoritratto, in quanto, nell'anno d'esecuzione, l'artista era molto più vecchio. Più attendibile si rivela il suggerimento del Moschini (1956) che, in base alle stampe contenute nelle *Vite*, vi riconoscerebbe un ritratto di Alessandro Longhi, accomunabile ai celebri 'modelli' eseguiti da Pietro per utilità del figlio. D'altra parte, anche in questo senso, restano non pochi dubbi poiché, a quel tempo, era semmai Pietro a sfruttare la maniera più incisiva della ritrattistica di Alessandro. Il dipinto viene considerato di massima importanza per la datazione delle ultime opere dell'artista.

243. LA VISITA DELLA COPPIA. Brescia, Frau

ol/tl 57,5×44,5 *1781*

Come indica una vecchia scritta sul telaio, che ne riproduce una antica quasi cancellata, il dipinto raffigurerebbe il conte Lasca, ricco impresario, che "ammira la cantatrice bolognese detta la Mistrocchina e Carluccio detto il Cruscarello musico soprano". Siamo, dunque, nel mondo del teatro, già altre volte spiritosamente descritto dal pittore.

Appartiene certamente all'attività tarda del Longhi. Per fare una data, pensiamo al *Ritratto di pittore* di Ca' Rezzonico del 1781, con le sue paste rilevate, il colore ammorbidito, dove l'interesse dell'artista

239

240

241

242

243

245

244

246

247

248

249

riesce sorprendentemente a concentrarsi sulla psicologia del personaggio.

244. PITTORE. Milano, Orsi
ol/tl 42×34 *1781*

Reca sul libro l'iscrizione: "Così si dipinge". Forse un autoritratto, dato che l'artista conservò la carica di maestro all'Accademia Veneziana fino al 1780. Il dipinto appare assai prossimo al n. 242.

245. PIERO RINALDI. Venezia, Ca' Rezzonico (n. 568)
ol/tl 51×38 *1781*

Reca in basso a destra il nome dell'effigiato: "Pietro Rinaldi, Capitano di nave". Già nella collezione Teodoro Correr a Venezia. La datazione si fonda sulle affinità con il n. 242.

246. DAMA
ol/tl 64×50,5 *1781*

Fa gruppo con il n. 247. I due dipinti esprimono l'ultima maniera artistica del Longhi, caratterizzata da un'estrema minuziosità dei dettagli e dall'affinità con la ritrattistica del figlio Alessandro. Citati dal Martini (1964, p. 291) i dipinti sono recentemente passati all'asta Finarte 1-XII-1970.

247. GENTILUOMO
ol/tl 64×50,5 *1781*

Si veda al n. 246 per ogni ragguaglio.

248. c. s.
ol/rame 14,5×11,5

Fa coppia con il n. 249: entrambi sono passati nel mercato antiquario a Roma, e si collocano in prossimità della *Giovinetta* Morandi (n. 241) o dei due suggestivi ritratti già nella medesima collezione dei due rami (n. 246, 247). Siamo alle ultime pennellate del Longhi, quindi il segno diviene tremulo, ripassando nervosamente i contorni per costruire la fisionomia con la solita profonda onestà di fronte al reale.

249. DAMA
ol/rame 14,5×11,5

Si veda al n. 248.

Appendice al catalogo

Si dà conto qui di seguito di dipinti citati come opera del Longhi da critici autorevoli, ma che non è stato possibile inserire nella sequenza cronologica del Catalogo poiché tali citazioni, data l'attuale irreperibilità dei dipinti, restano le uniche notizie su di essi. Vengono quindi elencati secondo la data di pubblicazione dello studioso che li ha proposti.

250. SENATORE

Già in proprietà Norton a Cambridge (Mass.). Menzionato da Berenson (1911). Non identificabile con il n. 363.

251. SCENA AL MULINO

Già a Firenze in proprietà Loeser. Menzionata da Berenson (1911).

252. LA VISITA ALLE MONACHE

Già a Londra in proprietà Cavendish Bentinck. Esposta nel 1911 al Burlington Fine Arts Club. Menzionata da Berenson (1911).

253. LA PARTITA A CARTE

Apparteneva alla raccolta Mond di Londra. Menzionata da Berenson (1911).

254. c. s.

Già a Londra in proprietà Richter insieme con il n. 255. Le due opere sono state menzionate da Berenson (1911).

255. LA DAMA ALLA TOELETTA

Si veda al n. 254.

256. IL RIDOTTO

Apparteneva, insieme con il n. 257, alla raccolta Perowne di Londra. I due dipinti sono stati segnalati dal Borenius (1936).

257. IL PARLATORIO

Si veda al n. 256.

258. BENEDIZIONE DI GIOBBE

Segnalato dal Valcanover (1954) all'Oratorio di San Biagio a Verona, insieme con il n. 259.

259. INCORONAZIONE DELLA MADONNA

Si veda al n. 258.

Opere ricordate da incisioni

Si dà conto qui di seguito di quelle opere perdute di cui ci è giunta testimonianza solo attraverso le incisioni che ne furono tratte, alcune con l'esplicita menzione del Longhi come autore del dipinto originale, altre che a lui chiaramente rimandano per elementi stilistici. Mancando riferimenti cronologici che consentano l'inserimento nell'àmbito del Catalogo, si adotta l'ordinamento per temi.

RITRATTI

260. ANTONIO DIEDO

Reca l'iscrizione: "Petrus Longhi delin. - Cristophorus dell'Acqua excud" (foto 260[1]).

261. PIETRO LONGHI

Si tratta, probabilmente, di un autoritratto perduto. Inciso dal Cattini nel periodo 1740-50 (foto 261[1]).

262. c. s.

Si tratta forse di un autoritratto perduto. Inciso da Alessandro Longhi per le sue *Vite* del 1761 (foto 262[1]).

263. PIETRO LONGHI ACCADEMICO

Forse un autoritratto perduto. L'incisione anonima è datata 1766 (foto 263[1]).

TEMI VARI

264. LA LEZIONE DI CANTO

Incisa da F. Bartolozzi con la scritta: "Pietro Longhi pin." (foto 264[1]).

265. LA TOELETTA DELLA DAMA

L'incisione di Gutwein (foto 265[1]) reca la scritta: "Pietro Longhi pin."

266. LA VILLEGGIATURA DELLA DAMA

Incisa dal Faldoni con l'iscrizione: "Pietro Longhi pin." (foto 266[1]). La scena si svolge all'interno del caffè della Mira. Tale stampa è probabilmente identificabile con quella menzionata da Pietro Longhi in una lettera al Remondini datata 7-XII-1748 (si veda Documentazione).

Al Museo Correr di Venezia si conserva un disegno preparatorio per il fondo (n. 436; foto 266[2]).

267. IL GIOCOLIERE

Inciso da Alessandro Longhi senza il nome dell'autore (foto 267[1]).

Assai prossimo, per il tema e per il gusto, ai dipinti di Pietro Longhi come il n. 176.

Altre opere attribuite

Data la difficoltà di stabilire una datazione precisa per la maggior parte dei dipinti elencati qui di seguito, si è creduto opportuno ordinarli secondo il tema raffigurato, in quattro suddivisioni; all'interno di ciascuna di queste, le schede seguono l'ordine alfabetico dei titoli (per i Ritratti di personaggi noti ci si riferisce ai cognomi); per i dipinti di ugual titolo vale la sequenza alfabetica delle ubicazioni.

VITA VENEZIANA

268. L'ACCONCIATURA. Milano, A. Crespi
ol/tl 53×38

Già a Venezia in proprietà Giovannelli. Ravà (1923) lo attribuisce a Pietro Longhi giudicandolo totalmente autografo.

269. IL BALLO MASCHERATO

Indicato imprecisamente dal Ravà (1923) come *Palazzo Doria*. Fa gruppo con i n. 297 e 311 assieme ai quali si trovava nel palazzo Doria di Roma. Ravà (1923) attribuisce al Longhi le tre opere che comunque appaiono prossime al 'Maestro del Ridotto' (si veda al n. 305), un imitatore di Longhi, le cui opere sono caratterizzate da fisionomie allungate e da colori luminosi, con uno stile tra Carlevaris e Fontebasso.

270. BISONTE E LUPO CERVIERO
1770*

Reca l'iscrizione: "Ritratto del Bison e Lupo Cerviero, venuti in Venezia nel Carnevale 1770 M. V.". Ravà (1923) lo riferisce a Pietro Longhi, ma si tratta certamente dell'opera di un imitatore.

271. LA BOTTEGA DEL CAFFÈ. Segromigno Monte, eredi Salom
ol/tl 76×60

Assai prossimo alle opere del

De Gobbis; attribuito a Pietro Longhi dal Ravà (1923).

272. IL CAFFÈ
ol/tl 69×54

Già nella raccolta Cavendish Bentinck di Londra assieme al *pendant* n. 304; i due dipinti vennero venduti da Sotheby il 3 luglio 1963. Berenson (1897) li attribuisce a Pietro Longhi. Accostabili, per la vivacità cromatica, alle opere di un seguace dell'artista, chiamato — per la sua tecnica — 'Maestro dei riflessi', assai vicino anche al Flipart.

273. IL CAVADENTI. Venezia. Ca' Rezzonico
ol/tl 49×60

Già nella raccolta di Teodoro Correr. Ascritto al Longhi dal Lorenzetti (1936). Si tratta di una copia del n. 52, dal quale si differenzia per la mediocrità della soluzione cromatica che appesantisce la composizione di toni freddi. L'ipotesi di una nuova attribuzione è sostenuta dall'affinità stilistica con le te-

274. LA CHIROMANTE

Già nella raccolta von Pannwitz a Bennebroeck; attualmente potrebbe trovarsi negli Stati Uniti. Attribuito al Longhi da Van Marle (1935); l'Arslan (1943) non esclude possa trattarsi di un autografo.

275. IL CIARLATANO. Francoforte, Städelsches Kunstinstitut
ol/tl 59×72

L'attribuzione di Brosch (1929) a Pietro Longhi, viene mantenuta anche dal museo. Fiocco (1929) lo riferisce ad Alessandro. L'opera, comunque, sembrerebbe di un seguace prossimo al 'Maestro del Ridotto'.

276. IL CONCERTO. Rouen, Musée des Beaux-Arts
ol/tl 96×130

Già attribuito, insieme con il n. 300, al Longhi da Brosch (1929); entrambe le opere ven-

le del De Gobbis, già a palazzo Stucky (ripr. in Pallucchini, 1960).

260[1]

261[1]

262[1]

263[1]

264[1]

265[1]

266[1]

266[2]

267[1]

 269

 271

 273

 281

 284

 284¹

 284²

 284³

 277

 277¹

 279

 286

gono attualmente assegnate a Traversi.

277. IL CONCERTINO. Salisburgo, Schloss Neuhaus, Topic

ol/tl 88×73

Pendant del n. 298 (cui si rimanda) e, come quello, inciso da Flipart (foto 277¹).

278. c. s.

Già nella raccolta Scholz-Forni di Amburgo. L'attribuzione di Goering (1940) a Pietro Longhi, viene respinta dall'Arslan (1943). Il dipinto rivela analogie con la produzione del 'Maestro del Ridotto'.

279. CONVEGNO DI FAMIGLIA. Venezia, Ca' Rezzonico (n. 845)

ol/tl 54×72

Apparteneva alla collezione Manfredini. Ascritto al Longhi da Lorenzetti (1951) e Valcanover (1956). Per i toni grigio-bruni e la pennellata breve, oltre che per le caratteristiche tipologie, l'opera tenderebbe ad accostarsi maggiormente al Gramiccia.

280. IL CONVITO IN CASA NANI. Venezia, Ca' Rezzonico (n. 365)

ol/tl 130×96

Già presso Teodoro Correr. Rappresenta, come ricorda la scritta in basso, la cena data in casa Nani alla Giudecca il 9 settembre 1755 in onore dell'arcivescovo elettore di Colonia, Clemente Augusto. Piuttosto che al Longhi (Lorenzetti, 1936) deve essere attribuita a

un seguace di discreta abilità, vicino all'autore dei *Giochi in villa* (n. 391).

281. LA DICHIARAZIONE

ol/tl 54×42

Già a Parigi presso la galleria L'Oeil. Rimanda direttamente all'incisione di Flipart (per cui si veda al n. 284) cui corrisponde per il formato verticale (l'altro tema analogo, n. 284, è in formato orizzontale) e rispetto alla quale è — correttamente — rovesciata. Esatta appare anche la riproduzione della *Natività* del Balestra nel fondo, pur dovendosi fare qualche riserva sulla qualità del colore, anche in seguito ai restauri subiti nel tempo. Il riferimento al disegno preparatorio (Venezia, Museo Correr, n. 572; per cui si veda al n. 284), nello stesso verso del dipinto in esame, confermerebbe la possibilità che si tratti quanto meno di una versione identica all'originale.

282. c. s. Milano, A. Crespi

ol/tl 72×55

Già a Venezia nella raccolta Giovannelli. Nell'attuale ubicazione viene considerato opera di Pietro Longhi. Sembrerebbe, piuttosto, una replica, nello stesso verso, dell'incisione di Flipart relativa al n. 284. Accostabile al 'Maestro dei riflessi'.

Simili versioni si trovano nella collezione Trecate a Trezzano sul Naviglio e già Karlin a Saratoga Springs (N. Y.).

283. c. s. Venezia, Ca' Rezzonico (n. 141)

ol/tl 72×55 *1750

Già nella raccolta di Teodoro Correr con il suo *pendant* (n. 301). Attribuiti entrambi al Longhi dal Ravà (1923) spettano invece al 'Maestro dei riflessi'. L'opera in esame, in particolare, è la copia di una incisione di Flipart tratta da un dipinto, oggi perduto, del Longhi (si veda al n. 284).

284. c. s.

1750

Riferito al Longhi dal Ravà (1923). Probabile copia, a opera forse del 'Maestro dei riflessi', di un originale perduto. Confermano tale ipotesi due incisioni, una, invertita, di Flipart (foto 284¹), l'altra di Hayd nello stesso verso, entrambe recanti l'iscrizione: "Pietro Longhi pinxit"; inoltre, a Venezia, Museo Correr (n. 572 e 465), due disegni autografi, per la vecchia e il gentiluomo (foto 284²) e per la dama all'arcolaio (foto 284³), testimoniano ulteriormente l'esistenza di un originale databile, in base all'incisione di Flipart, prima del 1750, anno in cui l'artista francese lasciò Venezia.

285. INCONTRO DEL PROCURATORE CON LA MOGLIE. Mosca, Museo Puškin

ol/tl 71×54

Considerato al museo opera di Pietro Longhi. Si tratta di una versione del n. 44.

286. IL LABORATORIO DI RICAMO. Venezia, Ca' Rezzonico (n. 317)

ol/tl 96×116 1750*

Già a Venezia in proprietà Tironi. Fa serie con i n. 296, 310,

394. Il gruppo dei quattro dipinti, definito del 'Maestro del Ridotto', venne attribuito al Longhi dal Ravà (1923), ma appare evidente il distacco dall'artista caratterizzato dal disegno allungato e dai toni cromatici estremamente brillanti e pastosi che più s'accostano all'àmbito del Diziani, richiamando, allo stesso tempo, il Carlevaris e il Fontebasso. Le riproduzioni, alle pareti degli interni, di dipinti di Sebastiano Ricci suggeriscono, secondo Pallucchini, una cronologia di poco posteriore al 1750.

Varie repliche delle quattro opere si trovano in collezioni private.

287. LA LEZIONE DI CANTO. Filadelfia, Museum of Art

ol/tl 53×72

Già in proprietà Wilstach. Tradizionalmente riferito a Pietro Longhi; Moschini (1956) convalida l'autografia datando il dipinto intorno al 1741. Tuttavia l'opera appare assai prossima alla produzione artistica del De Gobbis e situabile negli ultimi decenni del Settecento.

288. LA LEZIONE DI GEOGRAFIA. Venezia, Ca' d'Oro

Ascritto al Longhi dal Gamba (1916). È piuttosto riferibile a un seguace, anche in base all'analogia con il *Goldoni nello studio* forse opera del Gramiccia, già a Milano, Crespi-Morbio (foto 288¹).

289. LA LEZIONE DI MUSICA. Segromigno Monte, eredi Salom

ol/tl 76×60

Il dipinto, ascritto al Longhi dal

Ravà (1923), si rivela indubbiamente non autografo e accostabile al De Gobbis.

Una versione simile si trova alla Casa di Goldoni in Venezia.

290. LE MASCHERE

Segnalato, per errore, nel Museo Correr dal Ravà (1923) che lo ascrive a Pietro Longhi identificandolo in un dipinto omonimo ma sviluppato verticalmente, attualmente situato a Venezia alla Casa di Goldoni. L'opera sembra non avere nulla a che fare con l'artista.

291. IL MATRIMONIO EBRAICO. Milano, propr. priv.

ol/tl 87×63

Già a Venezia in proprietà Barozzi. Ascritto al Longhi dal Fiocco (1956), appare accostabile al 'Maestro dei riflessi'.

292. LA MODISTA. Milano, A. Crespi

ol/tl 72×50

Già in proprietà Giovannelli di Venezia. Ascritto al Longhi dal Ravà (1923). Si tratta di una replica mediocre del n. 186.

293. IL PARLATORIO. Baden-Salem, granduchi di Baviera

Fa coppia con il n. 306. Ravà (1909) ascrive al Longhi entrambe le opere che, semmai, sembrerebbero avvicinabili ai dipinti attribuiti al De Gobbis.

294. c. s. Londra, conte di Harewood

ol/tl 28×42

Apparteneva, con il *pendant* n. 307, al marchese di Clarincarde. Nell'attuale collezione, i due

287

288

288¹

289

291

293

295

299

296

297

298

298¹

dipinti sono considerati di Pietro Longhi, ma non sembrano aver niente a che fare con l'artista.

295. c. s. San Diego, Fine Arts Gallery

ol/tl 89×114

Già a Londra nella raccolta Sundin insieme con il *pendant* n. 308; venduti da Sotheby il 15 maggio 1929. I due dipinti sembrerebbero accostabili all'opera del De Gobbis.

296. c. s. Venezia, Ca' Rezzonico (n. 315)

ol/tl 96×131 1750*

Si veda al n. 286.

297. c. s.

Si veda al n. 269.

298. IL PARRUCCHIERE. Salisburgo, Schloss Neuhaus, Topic

ol/tl 88×73

Acquistato a un'asta Sotheby del 1961 insieme con il *pendant* n. 277. Tradizionalmente attribuite a Pietro Longhi, le due opere sono probabilmente riferibili a Flipart, al quale si devono, peraltro, anche le relative incisioni nello stesso verso (foto 277¹, 298¹). A questo proposito la stampa del dipinto in esame si rivela di particolare interesse per la presenza nel fondo di un dipinto di Amigoni, che fu maestro di Flipart. I dipinti sono considerati dalla critica un punto di riferimento per ulteriori attribuzioni, in quanto testimoniano il periodo 'longhiano' dell'artista francese.

299. LA PARTITA A CARTE. Milano, Treccani

ol/tl 53×49

Pendant del n. 316. Le due opere, attribuite al Longhi dal Modigliani, si rivelano accostabili alla maniera del 'Maestro dei riflessi' (Morassi, 1931).

Una versione a Ca' Rezzonico (ripr. in Pignatti, 1960).

300. c. s. Rouen, Musée des Beaux-Arts

ol/tl 96×131

Si veda al n. 276.

301. c. s. Venezia, Ca' Rezzonico (n. 140)

ol/tl 72×55

Pendant del n. 283, cui si rimanda per le vicende storico-critiche. Si veda anche al n. 299.

302. PITTORE E MODELLA

Non è opera di Pietro Longhi, nonostante gli sia stato attribuito (*Collezioni private*, in "L'Arte", 1941, III, tav. XVI).

303. IL PITTORE NELLO STUDIO. Milano, propr. priv.

ol/tl 92×115

Arslan (1946) lo attribuisce al Longhi, mentre Pallucchini (1960) vi scorge un probabile Flipart.

304. c. s.

ol/tl 69×54

Pendant del n. 272, cui si rimanda per ogni ragguaglio.

305. IL RIDOTTO. Amsterdam, Rijksmuseum

ol/tl 85×108,5

Lasciato in eredità dal von Rath al museo, nel cui catalogo appare come opera di Pietro Longhi. Moschini (1956) lo attribuisce al 'Maestro del Ridotto' (si veda al n. 286).

306. c. s. Baden-Salem, granduchi di Baviera

Rappresenta il salone centrale di Ca' Giustinian. Fa coppia con il *Parlatorio* (n. 293), cui si rimanda per ogni ragguaglio.

307. c. s. Londra, conte di Harewood

ol/tl 28×42

Pendant del n. 294, cui si rimanda per ogni ragguaglio.

308. c. s. San Diego, Fine Arts Gallery

ol/tl 89×114

Pendant del n. 295 al quale si rimanda.

Una versione quasi identica passò recentemente per le Newhouse Galleries di New York (foto n. 308¹).

309. c. s. Segromigno Monte, eredi Salom

ol/tl 76×50

Riferito al Longhi dal Ravà (1923) ma verosimilmente accostabile al De Gobbis. Non rappresenta il ridotto di Ca' Giustinian nell'usuale prospettiva.

310. c. s. Venezia, Ca' Rezzonico (n. 316)

ol/tl 96×131 1750*

Si veda al n. 286.

311. c. s.

Si veda al n. 269.

312. IL RINOCERONTE. Segromigno Monte, eredi Salom

ol/tl 76×60

L'attribuzione è molto discussa: Ravà (1923) e la Bassi (1950) lo riferiscono a Pietro Longhi; il Fiocco (1929) ad Alessandro Longhi; Moschini (1956) e Pallucchini (1960) a un seguace. Indubbiamente l'opera appare di buona qualità e non totalmente estranea alla maniera di Pietro Longhi.

In collezione privata a Venezia, è conservata una versione giudicata autografa dal Fiocco (1929), ma da ritenersi, piuttosto, accostabile alla produzione del Gramiccia.

313. IL RISVEGLIO DELLA DAMA. Kansas City, W. Rockhill Nelson Gallery of Art

ol/tl 70×58 *1740*

Già a Londra in proprietà Agnew. Nel catalogo del museo reca l'attribuzione a Pietro Longhi, ma sembrerebbe piuttosto una derivazione della stampa di Flipart (foto 313¹) eseguita su un originale autografo intorno al 1740 dal 'Maestro dei riflessi'. Il dipinto in esame, infatti, è eseguito nello stesso verso di tale incisione, mentre i tre disegni del Longhi (foto 313²-313⁴), per il gentiluomo e la dama, conservati al Correr (n. 561-563), appaiono rovesciati.

Due repliche, oltre a quelle citate di seguito, nelle collezioni Calligaris e Tooth di Londra. Con ogni probabilità, il prototipo autografo del tema è quello recentemente scoperto (Pignatti, 1972) nella collezione Hope di Springfield Gardens (n. 31).

314. c. s. Milano, A. Crespi

ol/tl 57,5×48

Replica del n. 313. Attribuita al Longhi nella collezione, ma da ritenersi non autografa.

315. c. s. Segromigno Monte, eredi Salom

ol/tl 70×54 1740*

Replica del n. 313. Attribuita al Longhi dal Ravà (1923) e a un imitatore dall'Arslan (1943). Sembrerebbe un *pendant* del n. 284 e quindi accostabile al 'Maestro dei riflessi'.

316. La SPINETTA. Milano, Treccani

ol/tl 59×49

Pendant del n. 299, cui si rimanda.

317. IL VENDITORE AMBULANTE. Londra, conte di Harewood

ol/tl 38×26

Apparteneva alla raccolta del marchese di Clarincarde. Considerato, nell'attuale collezione, opera di Pietro Longhi anche se, indubbiamente, non ha niente a che fare con l'artista.

318. LA VENDITRICE DI ESSENZE. Lugano, Thyssen

ol/tl 43×36

Variante di mediocre qualità del n. 119. Alla galleria risulta opera di Pietro Longhi.

RITRATTI DI PERSONAGGI NOTI

319. CLEMENTE XIII. Venezia, Gallerie dell'Accademia (n. 5581)

305

306

309

316

308

308¹

310

311

312

313

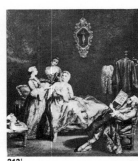

313¹

313²

313³

313⁴

315

ol/tl 99×74

Arslan (1943) ne esclude la paternità di Pietro Longhi, in seguito riproposta dal Riccoboni (1959) che lo indica, per errore, situato a Ca' Rezzonico.

320. LA MARCHESA CONCINA. Francoforte, Städelsches Kunstinstitut

ol/tl 75×58

Riferito a Pietro Longhi da Brosch (1929), dall'Arslan (1943) e dal catalogo del museo. Il dipinto non sembra aver alcun rapporto con l'artista.

321. CATERINA CONTARINI QUERINI. Venezia, Pinacoteca Querini Stampalia (n. 26.277)

ol/tl 55×45

Nella guida (1946) della pinacoteca è attribuito a Pietro Longhi, ma, come afferma Moschini (1932), si tratta probabilmente di un'opera di Alessandro, stilisticamente prossima al n. 336.

322. SAMUEL EGERTON. Venezia, Ca' Rezzonico (n. 2250)

ol/carta 52×42 1732

Opera del Longhi secondo il Lorenzetti (1936); l'autore è invece Bartolomeo Nazzari, come prova il grande *Samuel Egerton* da lui firmato (esposto nel 1960 alla Royal Academy) e documentato nel 1732 (si veda Waterhouse, *Italian Art and Britain*, London 1960), di cui l'opera in esame costituisce palesemente il bozzetto.

323. CARLO GOLDONI. Budapest, Szépmüvészeti Múzeum

ol/tl 93,5×73,3

Già in proprietà De Nemes. Brosch lo attribuisce (1929) a Pietro Longhi. Giudicato al museo (per gentile indicazione del dr. Fenyö) probabile dipinto di Gaetano Preda.

324. c.s. Venezia, Casa di Goldoni (in deposito dal Museo Correr, n. 339)

ol/tl 126×105 *1750*

Già a Venezia nella collezione Cicogna. L'attribuzione del Berenson (1894) a Pietro Longhi fu poi mutata in favore di Alessandro. Potrebbe trattarsi di un'opera eseguita in collaborazione, per cui al padre spetterebbe almeno il volto (Pignatti, 1960). Restaurato da A. Lazzarin (1946).

325. MARGARITA HANCHIN 1772*

Reca l'iscrizione: "Veri ritratti di Margarita Hanchin di anni 18 mesi 9 nata in Hauspach, alta piedi 7¹/₂ venuta in Venezia in Dicembre 1772 e di Francesco Poggi monogamba". Nonostante il Ravà (1923) lo attribuisca a Pietro Longhi, sembrerebbe opera di un imitatore.

326. LUCREZIA LUPO FANTINI. Milano, propr. priv.

Ascritto al Longhi dal Riccoboni (1959); non sembra, peraltro, un'opera dell'artista.

327. M. V. MENEGHEL

ol/tl 119×80

Già a Venezia nella collezione Brass, ultima ubicazione nota. La già incerta attribuzione del Moschini (1932) al Longhi va respinta.

328. IL CONTE CRISTOFORO MIGAZZI. Innsbruck, Ferdinandeum (n. 529)

ol/tl 85×68

Accostabile alla cerchia del Lampi, nonostante il Riccoboni (1959) lo attribuisca a Pietro Longhi. Raffigura il Migazzi, che fu vescovo di Trento nel 1757, in vesti giovanili.

329. GIOVANNI MOSER DE FILSEK. Milano, A. Crespi

ol/tl 44×32

Già in proprietà Giovannelli di Venezia. Nell'attuale collezione viene considerato opera di Pietro Longhi. Ripropone, forse per volere dello stesso effigiato, una parte del n. 105. La grafia peraltro non sembra longhiana.

330. CHRISTOPHER NUGENT. Dublino, National Gallery of Ireland

ol/tl 73×58

Nonostante l'attribuzione di Brosch (1929) a Pietro Longhi, mantenuta peraltro anche al museo, il dipinto deve ritenersi prossimo all'àmbito del Nazzari. Il personaggio raffigurato fu generale della Repubblica Veneta.

331. ROSA PASQUALI. Milano, Feltrinelli Doria

ol/tl 47×37 *1740*

Apparteneva alla raccolta Frey di Londra. Già attribuita a Pietro Longhi, venne riferita a Flipart come il *pendant*, n. 340. Al Morassi si deve l'identificazione dell'effigiata in Rosa Pasquali, 'virtuosa' di canto alla corte dell'elettore di Baviera, chiamata appunto 'la Bavarese'. La Pasquali recitò nel 1737 nel dramma in musica *Rosbale* di Porpora, al fianco dello Scalzi nella parte di Sirbace, al teatro San Giovanni Crisostomo.

332. ALESSANDRO PETRETTINI. Padova, Museo Civico

ol/tl 95×77

Già a Padova in proprietà Petrettini, insieme coi n. 333 e 334. Autografi per il Moschetti (1938), non possono essere attribuiti al Longhi.

108

333. MARIA PETRETTINI. Padova, Museo Civico
ol/tl 95×77,5
Si veda al n. 332.

334. UNA DAMA DELLA FAMIGLIA PETRETTINI. Padova, Museo Civico
ol/tl 94×77
Si veda al n. 332.

335. FRANCESCA MARIA PICCARDI. Milano, propr. priv.
ol/tl 76×67
Nonostante il Riccoboni (1959) lo attribuisca al Longhi, non sembra accostabile all'àmbito dell'artista.

336. LA FAMIGLIA PISANI. Venezia, Ca' Rezzonico (in deposito dagli eredi Bentivoglio d'Aragona)
ol/tl 255×341 f *1758*
Ascritto a Pietro Longhi nella mostra del Settecento di Venezia (1929), in seguito riferito ad Alessandro. La firma: "Alessandro Longhi" sul lato in basso a destra e le due iscrizioni: "Longhi" in altre zone del dipinto sono apparse solo dopo un recente restauro. Pallucchini (1951-52) avanzò l'ipotesi di una collaborazione di Pietro per la dama e i bambini; ma il confronto con l'unico frammento superstite, restaurato, di un altro ritratto della famiglia Pisani, noto come Il Balotin del Doxe e sicuramente opera di Alessandro attorno al 1758, indica per l'intera opera in esame la paternità di quest'ultimo. Egli stesso, d'altra parte, nelle sue Vite (1761), si pronuncia in questo senso.

337. IL SENATORE PISANI. New York, Chrysler
ol/tl 150×125
Già presso la collezione Lichtenstein. Reca l'attribuzione a Pietro Longhi nel catalogo della mostra "Il ritratto italiano" di Firenze (1911) ma il Ravà lo ascrisse poi (1923) ad Alessandro. Richiama comunque i modi del Gerolamo Maria Balbi di Ca' Rezzonico, opera di Fortunato Pasquetti.

338. IL PROVVEDITORE ANDREA QUERINI. Venezia, Pinacoteca Querini Stampalia (n. 13)
ol/tl 210×130
Da considerarsi opera del Castelli, nonostante la vecchia attribuzione degli inventari a Pietro Longhi.

339. ROMUALDO SASSO. Rovigo, Accademia dei Concordi
ol/tl 129×95
L'attribuzione al Longhi nella guida della pinacoteca non appare giustificata (1931).

340. IL CANTANTE SCALZI. Hartford, Wadsworth Atheneum
ol/tl 47×35,6 *1740*
Già a Parigi in proprietà Meus; quindi nella raccolta di Arnold Seligman a New York. Tradizionalmente ascritto al Longhi insieme con il pendant n. 331, venne riferito a Flipart da Voss. Secondo gli studi del professor W. J. Coe l'effigiato indossa i panni di Arbace nell'opera del Vinci Artaserse, che fu rappresentata a Roma nel 1730; in tale anno è nota (per gentile segnalazione di C. C. Cunningham) la presenza, nella capitale, del

maestro francese, che vi soggiornò fin verso il 1737, prima cioè di recarsi a Venezia. Il riferimento a Flipart può essere quindi preso in considerazione e, a questo modo, il dipinto troverebbe posto nel periodo di vicinanza dei due artisti.

341. GIOVANNI BATTISTA TONIOLO. Venezia, Toniolo
L'attribuzione al Longhi del Riccoboni (1959) è da respingere.

342. ELISABETTA TONIOLO NANI. Venezia, Toniolo
Non sembra ascrivibile a Pietro Longhi come sostiene il Riccoboni (1959).

RITRATTI DI IGNOTI

343. L'ARRIVO DEL 'BAILO' A COSTANTINOPOLI
ol/tl 105,5×128,5
Proveniente dalla collezione Nelidow, già ambasciatore russo a Parigi e a Vienna. Passò a Venezia presso Francesco Pospisil, ultima ubicazione nota. Pubblicata dal Pignatti (1972, fig. 2). Un caso del tutto particolare nell'attività del Longhi dovette essere costituito dalle "turcherie", tema d'altronde di moda a Venezia se non altro per le numerose pitture dei fratelli Guardi e per le stampe che le illustrano. L'opera in esame, se non avesse avuto una iscrizione apparentemente incontestabile ("P. Longhi pin. 1730"), difficilmente avrebbe potuto pensare al Longhi. Eppure, a ben guardare i particolari dei volti arguti dell'ambasciatore veneto e dei dignitari principali che lo accompagnano, si è portati a credere che la attribuzione sia possibile, e val la pena di segnalarla, se non altro per identificare altri dipinti dello stesso tipo ma privi di firma, oppure forse la stampa da cui probabilmente questo soggetto deriva. La caratteristica incapacità di Pietro Longhi a esprimere i valori di un paesaggio, altrimenti che con una profilatura elementare di case e di nubi, si rivela anche qui, come poi successivamente in dipinti sicuri; così è longhiana l'intonazione giallo-ambrata dello sfondo atmosferico (tal quale, più tardi, si vedrà nella Caccia in laguna della Querini). Interessantissima la data, se si legge 1730, e che giustifica anche molte delle apparenti ingenuità della pittura, rispetto a quanto sappiamo del Longhi.

344. AUTORITRATTO (?) CON SCOLARO. Firenze, propr. priv.
Ascritto al Longhi dal Martini (1964). Non si esclude l'ipotesi dell'autoritratto, anche se l'opera si rivela più vicina alla prima maniera di Alessandro.

345. BAMBINA. Milano, propr. priv.
ol/tl 44,5×34,5
In "L'Arte" (1941, I, tav. XXII) risulta opera del Longhi, ma tale attribuzione è senz'altro da escludere.

346. c. s.
Già nella collezione Brass a Venezia. Fu esposta come opera del Longhi alla mostra sul Settecento italiano del 1929. La attribuzione ebbe con qualche

incertezza il consenso dell'Arslan (1946), ma si ritiene più opportuno inserire l'opera in esame nella cerchia dello Zuccarelli.

347. BAMBINA CON GABBIETTA. Venezia, Galleria Frezzati
ol/tl 68×57,5
Pendant del n. 348. I due dipinti vennero pubblicati dal Fiocco (1943) come opera di Gamberini; in seguito, l'Arslan (1946), lo riferisce a Pietro Longhi. Sembrerebbero, comunque, accostabili all'àmbito del Nogari.

348. BAMBINO CON FLAUTO. Venezia, Galleria Frezzati
ol/tl 68×57,5
Pendant del n. 347, cui si rimanda per ogni ragguaglio.

349. BAMBINO ORIENTALE. Firenze, Donzelli
ol/tl 75×55
Nonostante l'attribuzione a Pietro Longhi del Riccoboni (1947) non sembra avere nessun rapporto con la produzione dell'artista.

350. IL CAPITAN GRANDE
Non rivela nessun rapporto con Pietro Longhi contrariamente all'ipotesi del Fiocco (1943).

351. CARDINALE
Già a Venezia nella collezione Naya, ultima ubicazione nota. L'attribuzione a Pietro Longhi (Riccoboni, 1959) va respinta in favore di Alessandro, ai bozzetti del quale — attualmente presso la collezione Orsi di Milano — l'opera in esame si avvicina notevolmente.

352. CAVALIERE DI MALTA
miniatura/avorio 6,7×4,7 f
Sul paramano della manica destra reca la scritta: "P. Longhi f.". Già presso la collezione Sourdeau aux Villains di Levico (Trento) nell'inventario della quale (2 maggio 1874, n. 696) viene attribuita al Longhi. Tale testimonianza non è di per sé inattendibile, e la firma appare eseguita insieme ai ricami del paramano: si tratterebbe comunque dell'unica testimonianza di un'attività miniaturistica del Longhi.

353. DAMA. Dresda, Gemäldegalerie (n. 595)
ol/tl 68×58
Attribuito al Longhi da Brosch (1929). Posse (1929) lo riferisce a "pittore del secolo XVIII". Il dipinto non presenta nessun rapporto con l'arte di Pietro Longhi.

354. c. s. Ferrara, Paulucci
ol/tl 40×31
Identificabile, forse, con il dipinto ascritto al Longhi dal Ravà (1923). Sembrerebbe una replica del n. 89.

355. c. s. Milano, propr. priv.
ol/tl 92×73
Accostabile all'Amigoni. Ascritto a Pietro Longhi dal Riccoboni (1947).

356. c. s. Venezia, propr. priv.
ol/tl 114×89
L'attribuzione al Longhi del Riccoboni (1959) è da respingere.

357. c. s.
ol/tl 74×63
Già a Venezia nella collezione Brass, ultima ubicazione nota. Attribuito al Longhi dal Ravà (1923), non è sicuramente autografo.

358. c. s.
ol/tl 77×59
Già a Venezia nella collezione Brass, ultima ubicazione nota. Attribuito al Longhi dal Morandotti (1941), è meglio avvicinarla alla pittura del Nogari.

359. LA DAMA DAL GUANTO ROSSO
Già a Venezia presso la collezione Morosini Gatterburg, ultima ubicazione nota. L'attribuzione al Longhi (Ravà, 1923) è da respingere.

360. FAMIGLIA. Basilea, Kunstmuseum
ol/tl 56×73,5
Ascritto a Pietro Longhi da Brosch (1929); attualmente viene riferito a P. L. Ghezzi.

361. GENTILUOMO. Boston, Museum of Fine Arts (n. 40.722)
ol/tl 66×54 *1780*
Già nella raccolta di Ernest Wadsworth Longfellow; pervenuto al museo tramite uno scambio. Attribuito da Brosch (1929) a Pietro Longhi; rivela senz'altro la paternità di Alessandro nel periodo intorno al 1780, anche in base al raffronto con il ritratto di Gian Maria Sasso, dello stesso artista, conservato al Museo Correr (ripr. in Pignatti, 1960).

331

336

340

343

352

363

366

375

379

391

394

362. c. s. Boston, Museum of Fine Arts (n. 17.589)

ol/tl 65×48

Condivide le vicende 'esterne' del n. 361. Ascritto da Brosch a Pietro Longhi: non è, senza dubbio, un'opera veneziana.

363. c. s. Cambridge (Mass.), Fogg Art Museum

ol/tl 44,5×35,5 1730-40

Già a Roma in proprietà del principe Massimo; passò in seguito nella collezione Winthrop a Boston. Nel catalogo del museo reca l'attribuzione a Pietro Longhi. Dall'accostamento con il ritratto di Samuel Egerton (n. 322), appare decisamente riferibile a Bartolomeo Nazzari. Databile tra il 1730 e il 1740, anche in base al costume indossato dal personaggio (Pignatti, 1960).

364. c. s. New York, Drey

ol/tl 94×76

Già a New York nella collezione Mill e Reinhard. L'attribuzione al Longhi è del Richardson (1952); l'opera sembra probabilmente riferibile all'Uberti.

365. c.s. Venezia, Gallerie dell'Accademia (n. 808)

ol/tl 81×62 f

Reca la sigla: "P. L.". La Marconi (1949) lo riferisce a Pietro Longhi, ma il dipinto non sembra avere alcuna relazione con la personalità artistica longhiana.

366. GENTILUOMO A CAVALLO. Venezia, Ca' Rezzonico (n. 909)

ol/tl 43×34 1780-85

Già nella raccolta Sagredo, pure a Venezia. Attribuito dal Lorenzetti (1936) a Pietro Longhi. Dal confronto con il n. 244 rivela una cronologia tarda, verso la fine del secolo. L'opera appare di qualità mediocre e per lo più accostabile alla produzione del Gramiccia.

367. GENTILUOMO

Il Riccoboni (1947) lo ascrive a Pietro Longhi; l'opera non sembra tuttavia autografa.

368. c. s.

ol/tl 202×113

Già a Venezia nella collezione

Brass, ultima ubicazione nota. L'attribuzione a Pietro Longhi (Morandotti, 1941), è stata trasferita opportunamente ad Alessandro dal Pallucchini (1960).

369. c. s.

ol/tl 99×74

Già a Venezia nella collezione Brass, ultima ubicazione nota. Attribuito al Longhi dal Ravà (1923), è piuttosto avvicinabile alla pittura dei Lampi.

370. GENTILUOMO CON SCUDISCIO

ol/tl 47×29

Già presso una collezione privata veneziana. L'attribuzione al Longhi del Riccoboni (1959) è da rifiutare.

371. GIOVANE. Boston, Museum of Fine Arts (n. 17.588)

ol/tl 99×82

Già in proprietà Ross e da questi donato al Museo. Attribuito da Brosch (1929) a Pietro Longhi. Sembrerebbe comunque accostabile all'àmbito del Ghislandi.

372. GIOVANE CON CANE. Milano, A. Crespi.

ol/tl 58×50

Già a Venezia in proprietà Giovanelli. Alla mostra "Il ritratto italiano" (1927) risulta opera di Pietro Longhi; forse identificabile con il dipinto menzionato dal Berenson (1911) con la medesima attribuzione. Comunque non sembra far parte della produzione longhiana.

373. GIOVANE DONNA

Già a Venezia in proprietà O. V. Attribuito dal Riccoboni (1959) a Pietro Longhi; sembrerebbe piuttosto riferibile ad Alessandro.

374. GIOVANE DONNA CON MASCHERA. Venezia, propr. priv.

ol/tl 53×43

L'attribuzione a Pietro Longhi del Riccoboni (1959) è da respingere.

375. GIOVINETTA CON VENTAGLIO. Bergamo, Accademia Carrara

ol/tl 65×59

Ravà (1923) lo ascrive a Pietro Longhi; nel catalogo del museo appare, giustamente, come opera di Giacomo Ceruti.

376. GIOVINETTO. Genova, propr. priv.

ol/tl 69×90

Nonostante l'attribuzione dell'Arslan (1946) a Pietro Longhi, il dipinto presenta elementi caratteristici della pittura lombarda.

377. GIOVINETTO CON UCCELLINO

Ascritto a Pietro Longhi dal Fiocco (1943), non sembra tuttavia autografo. L'attribuzione al Longhi del Riccoboni (1959) è da rifiutare.

378. MONACA

ol/tl 46×39

Già a Milano in proprietà Venier. Coletti (1957) lo attribuisce a Pietro Longhi, ma non è da considerare autografo.

379. PITTORE. Parigi, Cailleux

ol/tl 75,5×57,5 *1740*

Accettabile l'attribuzione al Flipart di Cailleux, che definisce il dipinto: "di gusto italiano, ma di fattura francese" e lo data verso il 1740, cioè nell'ultimo periodo parigino o nel primissimo periodo veneziano, quando il Flipart, al lavoro nella bottega di Wagner, ebbe i primi contatti con il Longhi (Pignatti, 1968).

380. PROCURATORE. Zoppola, castello

Segnalato nella suddetta ubicazione dal Rizzi (1966), che propende per l'attribuzione al Longhi.

381. PROCURATORE CHE RICEVE UNA SUPPLICA. Oxford, Ashmolean Museum (n. 249)

ol/tl 59×46

L'attribuzione al Longhi, accettata nel catalogo del museo, è da mutare in favore di un seguace, assai prossimo al 'Maestro del Ridotto'.

382. RAGAZZO. Genova, propr. priv.

ol/tl 69×90

Nonostante l'attribuzione dell'Arslan (1946) al Longhi, l'opera presenta elementi caratteristici della pittura lombarda.

383. SACERDOTE. Rotterdam, Museum Boymans-van Beuningen (n. 1463)

ol/tl 62,2×51,2

Già all'Aja presso la collezione Swetchin. Attribuito al Longhi dal catalogo del museo, sembra essere senz'altro riferibile all'Amigoni.

384. SCRIVANO. Modena, Galleria Estense

ol/tl 126×89

Ascritto a Pietro Longhi dal Berenson (1911); Pallucchini (1945) lo riferisce al Traversi.

385. VIOLINISTA. Firenze, Ventura

ol/tl 148×74 f d 1764

In base alla scritta: "Pietro Longhi 1764", Morandotti (1941) afferma l'autografia del dipinto che, comunque, lascia molti dubbi.

TEMI RUSTICI

386. CONTADINELLA. Milano, propr. priv.

ol/tl 90×60

Situabile tra Nogari e Maggiotto, nonostante l'Arslan (1946) lo attribuisca a Pietro Longhi.

387. CONTADINELLA E CORTEGGIATORI. Roma, Albertini

ol/tl 46,5×34,5

Fa gruppo con i n. 388, 392, 396, 397, 398 e con essi venne attribuito al Maggiotto dal Modigliani. Il Fiocco (1971) ha riportato tutto il gruppo giustamente in area longhiana, attribuendolo al periodo del soggiorno bolognese (ciò che significherebbe una data anteriore al 1730). Qualche perplessità rimane, peraltro, nella valutazione della pur accattivante ingenuità dei dipinti in esame, di fronte alla considerazione che le scenette appaiono per lo più delle anticipazioni rispetto a tele che poi compariranno nel periodo accertato del Longhi, fra il '50 e il '60: il *Venditore di frutti di mare* anticipa il *Venditore di fritole* Vollert (n. 65); il *Venditore di verdura* anticipa il *Venditore di insalata* della marchesa di Bath (n. 66); la *Filatrice* che vi appare è quella che poi si vedrà, nelle varie scene popolari, come le *Lavandaie* di Ca' Rezzonico (n. 14); l'*Invito alla danza* anticipa le varie *Furlane*, e in particolare quella della Querini (n. 70). Una simile corrispondenza compositiva, a fil di logica, sarebbe stata assai meglio spiegabile in un rapporto inverso, cioè continuando a supporre le telette Albertini come tarde derivazioni dal Longhi. Sta di fatto, invece, che la grafia delle tele Albertini non corrisponde a nessuno degli imitatori noti del Longhi e contiene in sé molti elementi tipici della giovinezza del Longhi.

388. FILATRICE E CORTEGGIATORI. Roma, Albertini

ol/tl 46,5×34,5

Si veda al n. 387.

389. LA FURLANA. Padova, Museo Civico

ol/tl 61×49

Nonostante l'attribuzione dell'Arslan (1946) al Longhi, l'opera presenta elementi caratteristici della pittura lombarda.

383. SACERDOTE. Rotterdam, Museum Boymans-van Beuningen (n. 1463)

Già nella collezione Cipollato Federici a Padova. Autografo per il Moschetti (1938), è in realtà una copia dell'analogo tema di Ca' Rezzonico (n. 69).

390. GARZONE DI VALLE. Venezia, propr. priv.

L'attribuzione al Longhi del Riccoboni (1959) è da respingere.

391. GIOCHI IN VILLA. Bergamo, Accademia Carrara

ol/tl 70×90

Già in proprietà Baglioni. L'attribuzione al Longhi da parte del Berenson (1911), viene mantenuta anche nel catalogo del museo. L'opera sembrerebbe, comunque, di dubbia qualità e preferibilmente accostabile ai seguaci.

392. INVITO ALLA DANZA. Roma, Albertini

ol/tl 46,5×34,5

Si veda al n. 387.

393. LE LAVANDAIE. Padova, Museo Civico

ol/tl 61×49

Già nella collezione Cipollato Federici a Padova. Autografo per il Moschetti (1938) e per il catalogo del museo, è in realtà una copia dell'analogo tema di Ca' Rezzonico (n. 14).

394. LA MERENDA IN CAMPAGNA. Venezia, Ca' Rezzonico (n. 318)

ol/tl 96×131 1750*

Si veda al n. 286.

395. LA SORPRESA. Stoccolma, Università

ol/tl 65×49

L'attribuzione al Longhi (Brosch, 1929) è da respingere a favore di un artista francese.

396. IL VENDITORE DI FRUTTI DI MARE. Roma, Albertini

ol/tl 46,5×34,5

Si veda al n. 387.

397. IL VENDITORE DI VERDURE. Roma, Albertini

ol/tl 46,5×34,5

Si veda al n. 387.

398. LA VENDITRICE DI UOVA. Roma, Albertini

ol/tl 46,5×34,5

Si veda al n. 387.

TEMI SACRI

399. SANT'ANDREA. Venezia, chiesa di San Pantalon

ol/tl 190×180c. *1780*

Segnalato, insieme con il n. 400, per la prima volta, da Gianantonio Moschini (1815), ai lati dell'arco della terza cappella a sinistra della chiesa veneziana. Tradizionalmente attribuiti a Pietro Longhi, vengono situati cronologicamente intorno al 1780 come gli analoghi *San Taddeo* e *San Marco* posti di fronte, firmati e datati da Alessandro nello stesso anno. Nonostante l'impossibilità di un esame diretto delle due opere, la qualità non sembrerebbe abbastanza convincente per assicurarne l'autografia.

400. SAN PIETRO. Venezia, chiesa di San Pantalon

ol/tl 190×180c. *1780*

Si veda al n. 399.

399

400

Repertori

Indice dei titoli e dei temi

Acconciatura (L') 268
Adorazione dei Magi 2
Albrizzi (La famiglia —) 167
Alchimisti (Gli) 125, 220
Allegra (L') coppia 15, 199
Ammalata (L') 135
Andrea (Sant') 399
Angeli (Madonna con il Bambino, santi e —) 42
Antonio (Le tentazioni di sant' —) 171
Arrivo (L' — del 'bailo' a Costantinopoli) 343; (L' — del signore) 188
Autoritratto con scolaro 344
Avvocati (Gli) 225
Baciamano (Il) 215
Baglioni (La famiglia —) 231
Balia (La) 32, 151
Ballo (campestre) 229; (di contadini) 18, 67; (Il — mascherato) 269
Bambina 346, 346; (con gabbietta) 347
Bambino (con flauto) 348; (orientale) 349
Battesimo (Il) 93
'Baùta' (La visita in —) 154
'Baùte' (Colloquio tra —) 132
Benedizione di Giobbe 258
Bevitore (Contadina e —) 20
Bevitori (I) 21
Biblioteca (I lettori in —) 218; (La visita alla —) 28
Binetti (La danzatrice —) 216
Bisonte e Lupo cerviero 270
Bottega (La) del caffè 90, 271
Buontemponi (I tre —) 214
Caccia (La — alla lepre) 116; (La — in laguna) 140; 141; (La — in valle) 188-194
Cacciatore e contadina 72
Cacciatori (Il sorteggio dei —) 191
Caduta (La) dei giganti 7
Caffè (Il) 142, 148, 227, 272
Cananea (La) 5
Capitan Grande (Il) 350
Cardinale 351
Casotto (Il — del Borgogna) 176; (Il — del leone) 175
Cavadenti (Il) 52, 126, 273
Cavalcata di giovinetti 107
Cavaliere di Malta 352
Cavaliere (Il risveglio del —) 38
Chiromante (La) 274
Concerto (Il) 276
Convegno di famiglia 279
Convito (Il) in casa Nani 280
Centurione (Il) 6
Ciarlatano (Il) 121-123, 183, 184, 223, 275
Cioccolata (La) del mattino 219
Clemente XIII Rezzonico con i nipoti 136
Colloquio tra 'baùte' 132
Comunione (La) 95

Concertino (Il —) 23, 109, 277, 278; (Il — in famiglia) 88
Concerto (Il — di mandolino) 149; (Il — di spinetta) 145
Concina (La marchesa —) 320
Confessione (La) 99-101, 212
Contadina (La — addormentata) 62; (e bevitore) 20; (e suonatore) 19
Contadine (Cacciatore e —) 72
Contadinella 386; (e corteggiatori) 387
Contadini (all'osteria) 195; (Ballo di —) 18, 67; (che giocano a carte) 210
Contadino che beve presso una fanciulla addormentata 173
Contarini Querini, Caterina 321
Conteggio (Il) della cacciagione 194
Conversazione (familiare) 144; (tra gentiluomini) 146
Cresima (La) 94
Dama 89, 138, 246, 249, 353-358; (La — alla toeletta) 255; (La — ammalata) 33; (La — dal guanto rosso) 359; (La — dalla sarta) 157; (e gentiluomo) 114; (Il risveglio della —) 31, 313-315; (La toeletta della —) 134, 265; (Una — della famiglia Petrettini) 334; (La villeggiatura della —) 266; (La visita alla —) 43; (La visita della —) 163
Danzatrice (La) 75, 76
Dichiarazione (La) 281-284
Diedo, Antonio 260
Donna (Giovane —) 373; (Giovane — con maschera) 374
Egerton, Samuel 322
Elefante (L') 205
Estrema Unzione (L') 97
Famiglia 360; (La — Albrizzi) 167; (La — Baglioni) 231; (La — Michiel) 238; (patrizia) 85; (La — Pisani) 336; (La — Sagredo) 84
Fanciulla (Contadino che beve presso una — addormentata) 173
Farmacista (Il) 83
Fidanzamento (Il) 54
Filatrice (La —) 13, 17, 58, 60, 174, 187, 221; (e corteggiatori) 388
Filatrici (Le) 61
Foscarini, Sebastiano (Il senatore —) 115
Frate (La predica del —) 55, 103
Furlana (La) 68-71, 197, 224, 389
Gabbietta (La) 30
Ganassoni, Benedetto 206
Garzone di valle 390
Gastaldo ducale (Il) 181
Gentiluomini (Conversazione tra —) 146
Gentiluomo 137, 178, 204, 247, 248, 361-365, 367-369; (a cavallo) 366; (con scudiscio) 370; (Dama e —) 114; (in verde) 203; (polacco) 182
Gigante Magrat (Il —) 139; (e il rinoceronte) 196
Giganti (La caduta dei —) 7
Giobbe (Benedizione di —) 258
Giocatori (I) di carte 133, 143
Giochi in villa 391
Gioco (Il) della pentola 41, 160
Giocoliere (Il) 267
Giovane 371; (con cane) 372
Giovane donna 373; (con maschera) 374
Giovanni Battista (San) 3
Giovinetta (che ricama) 241; (con ventaglio) 375
Giovinetti (Cavalcata di —) 107
Giovinetto 376; (con uccellino) 377
Giustinian Barbarigo, Adriana 232, 233
Goldoni, Carlo 323, 324
Grimani, Pietro (Il doge —) 113; (L'udienza del doge —) 112
Gruppo di famiglia 47

Guardi, Francesco 177
Hanchin, Margarita 325
Incontro del procuratore con la moglie 44, 285
Incoronazione della Madonna 259
Indiscreto (L') 50
Indovina (L') 81, 117
Indovino (L') 53, 185
Insalata (L') del milord 49
Invito alla danza 392
Laboratorio (Il) di ricamo 111, 286
Lavandaie (Le) 14, 56, 393
Leone (Il casotto del —) 175
Lettera (La) del moro 80
Letterati (I) in biblioteca 218
Lettura (La) 164
Lezione (La — di canto) 213, 264, 287; (La — di danza) 24; (La — di geografia) 86, 87, 288; (La — di musica) 30, 150, 289
Longhi, Pietro 261, 262; (accademico) 263
Lorenzo (Il miracolo di san —) 102
Lupo Fantini, Lucrezia 326
Madonna (con il Bambino, santi e angeli) 42; (Incoronazione della —) 259
Magi (Adorazione dei —) 2
Magrat (Il gigante —) 139; (Il gigante — e il rinoceronte) 196
Manin, Ludovico (Il procuratore —) 179
Mascherata (La) 51
Maschere (Le) 290
Matrimonio (Il —) 96; (Il — ebraico) 291
Meneghel, M. V. 327
Merenda (La) in campagna 394
Michiel (La famiglia —) 238
Migazzi, Cristoforo (Il conte —) 328
Miracolo (Il) di san Lorenzo 102
Modista (La) 46, 77, 186, 292
Moltiplicazione dei pani e dei pesci 4
Monaca 378
Monache (La visita alle —) 252
Monaci, canonici e frati di Venezia 168
'Mondo (Il) novo' 118, 124
Monfort, Guglielmo de (e l'aiutante di campo) 105
Moscacieca (La) 39
Moser de Filsek, Giovanni 329
Murray, John (e la sua famiglia) 211
Nani (Il convito in casa —) 280
Negli orti dell'estuario 127
Nugent, Christopher 330
Ordine Sacro (L') 98
Parlatorio (Il) 257, 293-297
Parrucchiere (Il) 155, 298
Partenza (La) per la caccia 192
Partita (La) a carte 253, 254, 299-301; (interrotta) 226
Pasquali, Rosa 331
Passeggiata (La) a cavallo 106
Pastorella (con fiore) 10; (con gallo) 11
Pastorello (in piedi) 9, 12; (seduto) 8
Pellegrino (San) condannato al supplizio 1
Petrettini (Alessandro) 332; (Maria) 333; (Una dama della famiglia —) 334
Pettinatrice (La) 161
Piccardi, Francesca Maria 335
Pietro (San) 400
Pisani (La famiglia —) 336; (Il senatore —) 337
Pitagora filosofo 172
Pittore 242, 244, 379; (e modella) 302; (Il — nello studio) 34-37, 147, 303, 304
Poeta che recita i suoi versi 230
Polenta (La) 16, 57, 198, 222
Posta (La) in botte 193
Pranzo (Il) di famiglia 92

Precettore (Il) dei Grimani 237
Predica (La — del frate) 55, 103; (La — in famiglia) 169
Prelato (Un) 240
Preparazione (La) dei fucili 189
Presentazione (La) 27
Procuratore 380; (che riceve una supplica) 381
Prova (La) di canto 29, 152
Punizione (La) dello scolaro 170
Querini (Il provveditore Andrea —) 388; (Stefano) 201
Querini Benzon, Marina 202
Querini da Ponte, Matilde 200
Quintetto 217
Ragazzo 382
Ricevimento (Il) in cortile 120
Ridotto (Il) 128-131, 256, 305-311
Rinaldi, Piero 245
Rinoceronte (Il —) 78, 79, 312; (Il gigante Magrat e il —) 196
Risveglio (Il — del cavaliere) 38; (Il — della dama) 31, 313-315
Ritratti 260-263; (di ignoti) 343-385; (di personaggi) 319-342
Ritratto di famiglia 153, 165, 166
Sacerdote 383
Sacra Famiglia 104
'Sacramenti' (I) 93-99
Sagredo (La famiglia —) 84
Santi (Madonna con il Bambino, — e angeli) 42
Sarta (La dama dalla —) 157
Sarto (Il) 25
Sasso, Romualdo 339
Savoia, Eugenio di 108
Scalzi (Il cantante —) 349
Scarico (Lo) del materiale 190
Scena (al mulino) 251; (orientale) 228
Scolaro (Autoritratto con —) 343; (La punizione dello —) 170
Scrittore (Uno) 239
Scrivano 384
Scuola (La) di lavoro 82
Seduzione (La) 74
Senatore 250
Solletico (Il) 91, 162
Sorpresa (La) 395
Sorteggio (Il) dei cacciatori 191
Spinetta (La) 110, 316
Suonatore (Contadina e —) 19
Svenimento (Lo) 40, 159
Temi (rustici) 386-398; (sacri) 399, 400; (vari) 264-267
Tentazione (La) 73
Tentazioni (Le) di sant'Antonio 171
Toeletta (La —) 26, 158; (La — della dama) 134; 265
Toniolo, Giovanni Battista 341
Toniolo Nani, Elisabetta 342
Ubriaco (L') 22
Ubriachi (Gli) 59
Udienza del doge Pietro Grimani 112
Usurai (Gli) 236
Venditore (Il — ambulante) 317; (Il — di fritole) 65; (Il — di frutti di mare) 396; (Il — d'insalata) 66; (Il — di verdure) 397
Venditrice (La — di essenze) 119, 318; (La — di fritole) 63, 64; (La — di uova) 398
Villeggiatura (La) della dama 266
Violinista 180, 385
Visita (La — al convento dei cappuccini) 208; (La — al lord) 45; (La — all'ammalato) 209; (La — alla biblioteca) 28; (La — alla dama) 43; (La — alla nonna) 234, 235; (La — alle monache) 252; (La — del frate) 156; (La — del procuratore) 48; (La — della coppia) 243; (La — della dama) 163; (La — in 'baùta') 154
Vita veneziana 268-318
Wortley Montagu, Edward 207

Indice topografico

Algeri
Musée National des Beaux-Arts 200

Amiens
Musée de Picardie 115

Amsterdam
Rijksmuseum 305

Baden-Salem (Baviera)
Propr. granduchi di Baviera 293, 306

Baltimora (Maryland)
Walters Art Gallery 150

Basilea
Kunstmuseum 360

Bassano del Grappa
Museo Civico 8-11

Bergamo
Galleria dell'Accademia Carrara 131, 235, 375, 391
Propr. Guffanti Scotti 212
Propr. priv. 55, 113, 137, 226

Berlino Ovest
Staatliche Museen Preussischer Kulturbesitz 152

Biella (Vercelli)
Propr. priv. 22

Bologna
Propr. Morandi 241

Boston
Museum of Fine Arts 187, 361, 362, 371

Brescia
Casa madre delle Ancelle della Carità 102
Propr. Frau 243

Budapest
Szépmüvészeti Múseum 323

Cambridge (Massachusetts)
Fogg Art Museum 186, 363

Chicago
Art Institute 67, 134

Dresda
Staatliche Kunstsammlungen Gemäldegalerie Alter Meister 353

Dublino
National Gallery of Ireland 36, 330

Ferrara
Propr. Paulucci 18-20, 210, 354

Filadelfia
Museum of Art 287

Firenze
Galleria degli Uffizi 100
Museo Stibbert 107
Propr. Donzelli 349
Propr. priv 227, 344
Propr. Ventura 385

Francoforte sul Meno
Städelsches Kunstinstitut 275, 320

Fullerton (California)
Norton Simon Museum of Art 142

Gazzada (Varese)
Museo Cagnola 220

Genova
Propr. priv. 376, 382
Propr. Trucchi 170, 181

Hartford (Connecticut)
Wadsworth Atheneum 73, 340

Innsbruck
Tiroler Landesmuseum Ferdinandeum 328

Kansas City (Missouri)
William Rockhill Nelson Gallery of Art and Mary Atkins Museum of Fine Arts 313

Londra
National Gallery 47, 48, 79, 111, 117
Propr. Brinsley Ford 77
Propr. Conte di Harewood 294, 307, 317
Propr. priv. 34, 76, 123, 151, 183

Longleat (Warminster)
Propr. marchesa di Bath 66

Lugano
Propr. Thyssen 91, 318

Milano
Civica Galleria d'Arte Moderna 21, 64, 133
Pinacoteca di Brera 52, 109
Propr. Alemagna 72
Propr. A. Crespi 49, 74, 75, 163, 164, 268, 282, 292, 314, 329, 372
Propr. eredi M. Crespi 110, 216
Propr. Dezza 114
Propr. Feltrinelli Doria 331
Propr. Gerli 54
Propr. Orsi 203, 237, 239, 240, 244
Propr. priv. 17, 89, 103, 141, 215, 291, 303, 326, 335, 345, 355, 386
Propr. Treccani 299, 316

Modena
Galleria Estense 384

Monaco di Baviera
Bayerische Staatsgemäldesammlungen Alte Pinakothek 143

Mosca
Museo Puškin 285

New York
Metropolitan Museum of Art 43-46
Propr. Chrysler 337
Propr. Drey 364
Propr. Manning 180

Northampton (Massachusetts)
Smith College Museum of Art 68

Oxford
Ashmolean Museum, University 381

Padova
Museo Civico 87, 332-334, 389, 393
Propr. priv. 225

Parigi
Musée National du Louvre 27
Prop. Cailleux 201, 379

Petworth (Sussex)
Petworth House, Wyndham (National Trust Property) 213

Port Sunlight (Cheshire)
Lady Lever Art Gallery and Lady Lever Collection 230

Providence
Museum of Art, Rhode Island School of Design 92

Roma
Propr. Albertini 101, 387, 388, 392, 396-398
Propr. Morandotti 214

Rotterdam
Museum Boymans-van Beuningen 383

Rouen
Musée des Beaux-Arts et de Céramique 276, 300

Rovigo
Accademia dei Concordi 339
Museo del Seminario Vescovile 12

Saint Louis (Missouri)
City Art Museum 120

Saint-Moritz (Grigioni)
Propr. priv. 144, 145

Salisburgo
Schloss Neuhaus Topic 277, 298

San Diego (California)
Fine Arts Gallery 295, 308

San Francisco (California)
M. H. de Young Memorial Museum 30

San Pellegrino Terme (Bergamo)
Chiesa parrocchiale 1

Segromigno Monte (Lucca)
Propr. eredi E. Salom 122, 124, 128, 159, 160, 166, 176, 205, 271, 289, 309, 312, 315

Springfield Gardens (New York)
Propr. Hope 31

Stanford (California)
University, Department of Art and Architecture 146, 147

Stoccolma
Konsthistoriska Istitutionerna, Universitet 395

Torino
Propr. priv. 217

Treviso
Museo Civico Luigi Bailo 204

Udine
Museo Civico e Galleria d'Arte Antica e Moderna 179

Venezia
Ca'd'Oro 288
Ca' Rezzonico 13-16, 32, 33, 35, 63, 69, 78, 80-82, 85, 88, 105, 106, 108, 119, 121, 125, 127, 132, 136, 139, 154-158, 161, 177, 206, 208, 209, 219, 233, 242, 245, 273, 279, 280, 283, 286, 296, 301, 310, 322, 366, 394
Ca' Rezzonico (in dep. dagli eredi Bentivoglio d'Aragona) 336
Ca' Sagredo 7
Casa di Goldoni (in dep. dal Museo Correr) 324
Chiesa di San Pantalon 42, 399, 400
Galleria Frezzati 347, 348
Galleria dell'Accademia 23-26, 53, 83, 172, 319, 365
Museo Correr 112
Museo Correr (in dep. alla Casa di Goldoni) 324
Pinacoteca Querini Stampalia 60-62, 70, 84, 86, 93-99, 116, 118, 129, 130, 140, 168, 171, 175, 188-195, 238, 321, 338
Propr. Barnabò 153
Propr. Brass 182
Propr. Curtis 234
Propr. eredi Bentivoglio d'Aragona (in dep. a Ca' Rezzonico) 336
Propr. priv. 37, 196-199, 356, 374, 390
Propr. Rubin de Cervin Albrizzi 162, 167
Propr. Toniolo 341,342
Propr. Viancini 207
Scuola di San Giovanni Evangelista

Verona
Museo di Castelvecchio 165

Washington
National Gallery of Art 40, 41

Windsor (Berkshire)
Collezioni reali 38, 39

Worcester (Massachusetts)
Art Museum 28

Zoppola (Pordenone)
Castello 56-59, 380

Zurigo
Propr. priv. 135

Opere perdute
3-6, 51, 104, 173, 174, 211, 260-267, 284

Ubicazione ignota
20, 50, 65, 71, 90, 126, 138, 144, 148, 149, 169, 178, 184, 185, 202, 218, 221-224, 228, 229, 231, 232, 236, 246-259, 269, 270, 272, 274, 278, 281, 290, 297, 302, 304, 311, 325, 327, 343, 346, 350-352, 357-359, 367-370, 373, 377, 378

Indice del volume

Scritti di Pietro Longhi e di suoi contemporanei . . . . . . *pag.* 5

TERISIO PIGNATTI

Itinerario di un'avventura critica . . 10
Il colore nell'arte di Pietro Longhi . 15
Elenco delle tavole 16
Analisi dell'opera pittorica di Pietro Longhi 81
Bibliografia essenziale 82
Documentazione sull'uomo e l'artista 83
Catalogo delle opere 84
Appendice al catalogo 105
Opere ricordate da incisioni . . . 105
Altre opere attribuite 105
Repertori : indice dei titoli e dei temi 111
indice topografico . . . 111

La chiave delle abbreviazioni poste nell'intestazione di ciascuna 'scheda' è data alla pag. 82.

Fonti fotografiche

Illustrazioni a colori: Archivio Rizzoli, Milano; Art Museum, Worcester; Cortopassi, Lucca; Metropolitan Museum of Art, New York; Mondi, Milano; Emmer, Venezia; National Gallery, Londra; Nimatallah, Milano; National Gallery of Art, Washington; Scala, Antella; Wadsworth Atheneum, Hartford. Illustrazioni in bianco e nero: Accademia Carrara, Bergamo; Archivio Museo Correr (C. N. R.), Venezia; Archivio Rizzoli, Milano; Art Institute, Chicago; Bayerische Staatsgemäldesammlungen, Monaco; Fine Arts Gallery, San Diego; Fogg Art Museum, Cambridge; Fondazione Cini, Venezia; Lucchetti, Bergamo; Musée de Picardie, Amiens; Musée National des Beaux-Arts, Algeri; Museo Civico, Padova; Museo Civico, Treviso; Museo Civico, Udine; Museum of Art, Filadelfia; Museum of Art, Providence; Museum of Fine Arts, Boston; National Gallery, Londra; National Gallery of Ireland, Dublino; Rijksmuseum, Amsterdam; Smith College Museum of Art, Northampton; Soprintendenza alle Gallerie, Firenze; University, Stanford; Viancini, Venezia; Walters Art Gallery, Baltimora.

Direttore responsabile: ETTORE CAMESASCA

Registrazione presso il Tribunale di Milano, n. 84 del 28.2.1966.
Spedizione in abbonamento postale a tariffa ridotta editoriale: autorizzazione n. 51804 del 30.7.1946 della Direzione PP.TT. di Milano.

Editore stampatore: RIZZOLI EDITORE S.P.A. MILANO, VIA CIVITAVECCHIA 102 - PRINTED IN ITALY